U0358753

宝贝，回家吃饭啦

3~6岁幼儿园阶段家庭饮食规划书

林美慧 著

人民东方出版传媒

东方出版社

"黄金三年"左右孩子的未来成就

如今的父母都了解幼儿时期的营养摄入对于孩子将来的重要性，脑细胞、视神经、身体各器官的发育都是在3～6岁这一阶段打下基础。此外，宝贝外在的生长发育更可明显地表现出其生理及心理状况是否健康。

3～6岁的儿童期是建立健康、均衡的饮食习惯的关键时期，此阶段的食物选择与饮食习惯注定对宝贝的未来产生重要的影响。针对3～6岁幼儿园阶段应有的营养摄入与智力提高，给予宝贝适宜的关照和爱护，就能使宝贝的潜能、智力等综合素质得到全面地开发。

在医院服务期间，我接触到许多孩子各式各样的饮食问题，像偏食、食物过敏、抗拒吃偏硬的食物等等。这些问题导致孩子的营养吸收不均衡、饮食习惯不正确。其实，孩子对于食物并没有特别的好恶，在饮食问题初发时，父母如能尽快纠正，在习惯未养成时改善过来，则宝贝吃东西将不再是难题。否则的话，越往后纠正的机会就越

少，难度也越大。

　　我与美慧老师相识多年。热情好客的她，家中冰箱里总是满满的食材，每回到她家中作客，都能享用到独特可口的菜肴。本书是美慧老师第一本特别为幼儿园阶段的小孩设计的规划式家庭餐点，不仅色香味俱全，更是针对这一时期宝贝的营养吸收而制作，处处可见美慧老师对于她小孙子的用心。相信书中的每道料理不仅能为3～6岁的小朋友所喜爱，也能让父母更有为孩子亲自下厨的愿望。

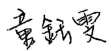

台北医学院保健营养学系教授
台北仁爱医院婴幼儿高级营养师

守护宝贝，就要为他亲手做羹汤

在这个资讯越来越发达的时代，父母对宝贝的成长教育比前几代都要花费更大的时间、心力和金钱，无论是听到、看到对宝贝成长有益的东西，都会将其应用到宝贝身上，生怕宝贝吃亏和落后。尽管如此，许多宝贝的发育状况却并不尽如人意，原因何在呢？

我跟台湾的许多营养学专家和儿科大夫都聊过这一话题，大家的看法不约而同地一致：那就是"外餐过多"。许多家长无法亲自为宝贝制作羹汤，补充阶段性的营养，为图省事经常带宝贝去外面的餐馆就餐，或者由家中老人制作单调乏味的菜品。两相比较，宝贝自然更喜欢去外面吃饭，对家里用餐毫无兴趣，习惯一旦养成，就会造成营养不均衡、偏食（嗜糖、不爱吃水果等）、油脂摄入过量、喜好重口味、体重超标等问题，再加上家长普遍的娇宠、保护过头，或者担心孩子过敏而"不准吃这个，不准吃那个"，使宝贝无法获得优良而充分的营养素，免疫力自然减弱，健康因此受到影响。

　　2006年，我特别为自己心爱的小孙子推出了一本离乳食谱书，从出生4个月到18个月左右的近80道食谱，反应非常热烈。一眨眼，我的孙子已经上幼儿园中班了，正是好奇、好动、好玩的顽皮年纪，用餐不专心且坐不住，冰激凌、巧克力、饮料、汉堡等快餐零嘴都是他的最爱，为纠正他的不良饮食喜好，我没少为他的三餐绞尽脑汁。

　　看到许多幼儿进入幼儿园就玩性大发、偏食严重、时常感冒、日渐消瘦，我这个身为奶奶辈的人就心中很焦急，为此特意咨询认识的营养师朋友，结合自己的饮食经验，设计出一套针对3～6岁幼儿园孩童的家庭饮食规划餐，包括上幼儿园以外的所有家庭用餐内容，即家庭早餐组合、周末家庭午餐组合、家庭茶点组合、家庭晚餐组合。除此之外，又加入宝贝生病时的针对性食谱，希望能够解除父母的烦恼，使宝贝在幼儿园阶段能够吃得开心、玩得健康、长得壮壮的。

爱 的 料 理 人

目 录 CONTENT

Part 1　给幼儿园宝贝最好的五星级饮食照顾

Part 2　3~6岁幼儿园宝贝的分阶成长家庭餐

Part 3 (3~6岁宝贝生病期间对症调理家庭餐)

Part1

给幼儿园宝贝最好的五星级饮食照顾

优质、美味、天然的食物，是孩子的成长良方。

人的心智和生理状态从出生开始，约到6岁时发展至成熟。

3~6岁的宝贝早已远离婴儿期，进入幼儿园阶段，这是宝贝成长发育的关键时期，体内各系统的机能、视力、大脑构造等方面，都会在这一时期奠定基础。

饮食提供了宝贝身体所需的绝大部分营养来源，妈咪主厨若能在这一时期的家庭饮食中为宝贝提供优质、美味、天然的食物，即是给宝贝最棒的成长良方。

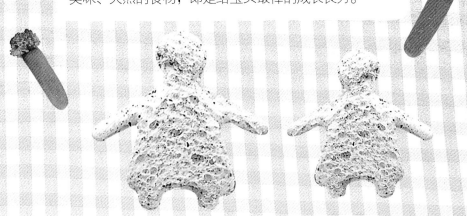

3～6岁幼儿园宝贝的饮食原则

对于3岁左右的宝贝，爸爸妈妈可以明显感受到：宝贝已不再事事依靠父母。除了有自己的想法，宝贝也会试着分辨是非对错，你可以与宝贝沟通讲道理、分析事情；宝贝除了会帮忙做家务，甚至也懂得照顾比自己年龄小的孩子。

除了惊讶宝贝各方面的进步外，父母也会发觉宝贝在饮食上的限制越来越少，甚至慢慢地可以跟大人吃一样的食物；不但有"吃"的欲望，还会主动挑选自己喜欢的食物。因此，如何制定适合3～6岁宝贝的发育食谱，迎合宝贝的口味，料理出既健康又美味的餐点，就变得非常重要。

每日的饮食作息

幼儿的胃部很小，大概每隔3～4个小时，肚子就会有饿的感觉，所以3～6岁的宝贝每天吃上4～5餐是基本原则。

周一至周五，早上8：00起床后，宝贝会在家中用过早餐再去幼儿园，或者直接坐幼儿园班车去幼儿园用早餐；9：30～10：00，幼儿园会为宝贝准备简单的小菜或点心，作为早餐之后的合理茶点补充；中午12：00是幼儿园的午餐时间；由于宝贝在幼儿园的活动量大，加上午餐到晚餐的间隔时间太长，因此下午3：00左右幼儿园还会准备一份点心，如饼干、蛋糕等，这样宝贝就不会一到下午肚子就饿得受不了；到晚上6：00～7：00宝贝被父母接回家。

★ 午餐　中午12：00

主食→米饭、面条等

主菜→半荤食

副食→蔬菜、豆制品

其他→各式汤品、各种水果

★ 茶点　上午9：30～10：00

点心→蛋糕、饼干等

其他→奶制品、蔬果

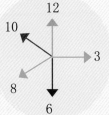

★ 茶点　下午3：00

点心→蛋糕、饼干等

其他→奶制品、蔬果、汤品

★ 早餐　上午8：00

主食→粥、面包等

副食→蔬果

饮品→牛奶、优酪乳、豆浆

★ 晚餐　下午6：00～7：00

主食→米饭、面条等

主菜→半荤食

副食→蔬菜、豆制品

其他→各式汤品、各种水果

食物料理及搭配技巧

提供宝贝每日所需能量，以淀粉类食物为主。

★食材选择：如米饭、五谷杂粮、全麦制品等。宝贝一日三餐中应至少有一种以五谷杂粮为主食。此外，父母可以在米饭中添加燕麦、胚芽米等杂粮。

提供宝贝每日所需蛋白质，主要以鱼肉类食物为主。

★食材选择：以含丰富蛋白质的肉类、鱼类、豆腐、蛋类为主。为增加蔬菜摄入量，可在料理主菜时添加一些蔬菜烹调，最好每餐都能更换不同的主菜食材。

副食 主菜以外，能提供宝贝每日所需维生素、矿物质，尽量选择不同颜色的食材料理。

★食材选择：各色时令的新鲜蔬菜，以及海藻类食材，都是很好的选择。在准备早餐及晚餐时，可选择幼儿园不经常提供的水果。应注意的是，水果和蔬菜虽然都含有维生素，但水果的糖分比蔬菜高得多，若以水果取代蔬菜，会有热量超出的情况，因此两者一定都要均衡摄取。

汤品及其他 汤品主要是补充水分及摄取维生素、矿物质。宝贝的每一餐应包含新鲜水果、可添加饮品，除了补充水分外，也能适当满足宝贝喝甜的欲望。

★食材选择：汤品主要应以蔬菜类、海藻类、黄豆类制品为主。饮品则应以自榨的果汁，以及牛奶、优酪乳和豆浆为优先选择，若要添加糖分，建议选用低热量的低聚糖或天然蜂蜜。

幼儿园菜单有哪些注意事项

对于幼儿园提供的每日菜单，父母应留意以下几点，为宝贝的全日制健康重点把关。如有不符合饮食要求之处，应跟园方沟通解决。

★ 茶点少食用现成商品，如市售小餐包、起酥蛋糕、八宝粥等。也不宜提供市售饮料，饮品如奶茶、红茶、绿茶等并不好，含咖啡因的饮品及糕点更不行，鲜奶和豆浆可以饮用。

★ 烹调方式应健康，正餐煎炸类食物比例不能太多，蔬菜和水果的整体使用比例要高；冷冻食品、半加工品（如薯饼、薯条、热狗、贡丸等），尽量不要有。

★ 如今过敏体质的小朋友越来越多，若家中宝贝是过敏体质，父母应提醒园方不宜让宝贝食用容易过敏的食物以及冷饮。例如鲜奶应加热后才可饮用，冰箱里取出的水果应恢复常温后再食用。

★ 幼儿园应有专业餐饮人员为餐点把关。有些园有营养师执照的教师和行政人员与厨师一起商定菜单，但有的园只是找营养师挂名，这就要求父母在考察幼儿园时侧重于这一点。

茶点 正餐以外，为宝贝提供热量及补充其他营养素，主要以甜咸口味的糕点为主。

★食材选择：不能让宝贝食用含糖及油脂过高，或是含人工添加剂的食物，如丹麦面包、含色素的果冻、含糖量高的果汁。茶点的食用时间应在吃饭前的2个小时，以免宝贝正餐吃不下。

"三餐两点"的饮食比重

3～6岁的女童每日所需总热量为1450大卡，男童则为1650大卡。在比重上，早餐和午餐为一日中最重要的两餐。晚餐分量可少，茶点则是主要补充热量和不足的营养。

早餐 一日之计在于晨，早餐非常重要，占全日总热量的1/3。多数忙碌的双薪家庭（孩子的父母都上班），可以在前一天晚上将早餐原料准备好，早上只需将现成的煎蛋、吐司片倒入平底锅，煮好的稀饭稍微加热，保证"一份主食+一碗汤汁+少许副食"的搭配原则。

　　推荐早餐搭配1：米粥类主食+一杯果汁+一个有肉松的饭团

　　推荐早餐搭配2：吐司杂粮类面包+一杯豆浆

　　推荐早餐搭配3：蛋糕类主食+一杯优酪乳+两个煎蛋

茶点 早上和下午各一次茶点时间，加起来占全日总热量摄取的1/5。每次茶点的热量摄入约在150～200卡。应注意，茶点如有蛋类，摄取量不宜过多，以免胆固醇过高。若是给予市售的面包或糕点，应留意外包装上的热量表。

午餐 午餐是一日三餐中的重要一餐，占全日总热量的1/3。家庭午餐可以选择汤面或者烩饭配汤的方式，再多炒一盘

青菜佐餐。

晚餐 晚餐是一日三餐中供给热量最少的一餐，小于全日总热量的1/3。晚餐最大的功能是调整每日的营养摄入均衡，例如白天蔬菜摄取不足，或是吃了高热量食物，晚餐可以多吃蔬菜或者调味清淡一点。

维持宝贝理想饮食作息三要素

早睡早起 建议爸爸妈妈每天晚上9：00～10：00，停下手头的事，关掉电视，把卧室里的灯调暗，准备带孩子上床睡觉。不妨选一本枕边故事书，放一些舒缓的助眠音乐，营造适宜宝贝睡眠的氛围，让宝贝置身于宁静、舒服的氛围中，在有父母陪伴的环境下入睡。宝贝一旦早晨晚起，就会引起父母一整天的匆忙和混乱，用餐时间也跟着受影响，很难调回正常。因此，父母应当先养成早睡早起的习惯，这样宝贝才会有正常的生物钟周期。

养成午睡习惯 吃完午餐后，一定要让宝贝好好地睡个午觉。如果中午不睡觉，宝贝下午的活动肯定无精打采，提不起精神；而太晚睡午觉，到晚上睡觉时间容易没有睡意。睡午觉看似小事，却可能会影响宝贝下午及晚上的作息规律。

固定每日用餐时间 想要宝贝有正常的生活作息，最基本的原则就是固定用餐时间。只要最重要的三餐时间相对固定，其他作息时间就会顺势往下走。宝贝就像一张白纸，只要养成良好的生活作息时间，就能很快固定下来。宝贝不良的生活习惯，多数是受父母的影响所致。家长要有以宝贝为生活重心的意识，保持生活作息正常，使宝贝得到最好的饮食照顾。

3～6岁幼儿园宝贝的饮食禁忌

"✓YES"优良食物一览表

深绿色蔬菜

菠菜、青椒、西蓝花、芥菜、空心菜、茼蒿等深绿色蔬菜，内含丰富的维生素A、维生素C，铁质含量比浅绿色蔬菜高。

深黄红色蔬菜

番茄、红辣椒、黄辣椒、胡萝卜、红苋菜、紫甘蓝、南瓜等深红黄色蔬菜，维生素A及铁质均比浅绿色蔬菜高。

马铃薯&地瓜

马铃薯所含蛋白质为完全蛋白质，容易为人体吸收；地瓜含丰富的纤维素和维生素A。两者均含有淀粉，能供给幼童成长发育的热量。

水果

苹果、草莓、奇异果、香蕉、梨、西瓜等含营养成分和水分较多、含糖分少的常见水果，直接食用才能获得完整营养。

五谷类

米、面、粥等谷类中的碳水化合物，消化及吸收速度较慢，可以为幼儿提供稳定的热量，其中丰富的淀粉是宝贝每日必需的热量来源。

动物肝脏

提供蛋白质、铁、维生素B族、锌，对幼儿骨骼、眼睛健康有益，但不可多吃，每周1～2次为宜，一次约10～20克。

肉类

鱼肉含多元不饱和脂肪酸，可协助大脑发育。牛肉含有丰富的铁质，鸡肉则含叶酸。各种肉类均含丰富的蛋白质，可多加补充。

豆腐

豆腐含有高蛋白质，以及人体必需的8种氨基酸，又有易消化、调理方便的优点。

蛋&乳制品

给宝贝一天一个蛋，可以有效补充蛋白质、铁及维生素B族。牛奶、优酪乳等乳制品，对宝贝脑部发育及反射能力提高皆有帮助。

进入幼儿园阶段，宝贝在饮食上的限制变少，可以和大人们吃一样的食物，但仍然要区分哪些食物是优良的、宜食的，哪些食物是忌口的、应避免的。以下就请妈咪主厨参考幼儿园宝贝说"YES"和"NO"的食物。

"✗ NO"忌口食物一览表

肥肉

鱼脂及肉类的肥肉部分，对于消化器官尚未发育完全的幼儿容易造成饮食负担。不只肥肉，炒菜时的用油量也不宜过多。

速冻食品

饺子、汤圆、混沌等速冻食品因为食用方便，常作为幼儿食谱中的配菜或茶点，但加工食品含有不利于身体的添加剂，应慎重选择。

咖啡&可乐

咖啡因含量较高的咖啡以及可乐、雪碧等碳酸饮料，宝贝应避免饮用。在味觉相当发达的幼儿期，要使宝贝养成爱喝水的习惯。

快餐食品

幼儿需要保持味觉和锻炼咀嚼能力，因此尽量不宜给宝贝纤维含量少、高盐油的快餐食品。

沙琪玛&奶油

沙琪玛和奶油都为高脂肪、低营养的食品，尤其动物性奶油中含有大量的脂肪酸，多吃容易肥胖和出现健康问题。

腌渍品&罐头食品

咸菜、泡菜等腌渍品，以及午餐肉、沙丁鱼等罐头食品，尽管宝贝喜欢吃，但因为其高盐、高胆固醇，应控制食用分量。

人参、当归等补品

身体健康的宝贝不需要任何补品。而体弱多病的宝贝，吃补品时也容易上火，且补品可能含有激素，容易导致宝贝性早熟，影响正常发育。

方便面&调味包

尽量不给宝贝冲泡方便面，其中的调味包更不要给宝贝添加。

辛辣食物

芥末、辣椒等辛辣的调味食材，刺激性强，口味过重，不适宜给宝贝食用。

小班阶段：
3~4岁宝贝的饮食重点

3~4岁的宝贝，刚进入幼儿园，在陌生的新环境里会碰到各种新事物，身边还多了那么多的小朋友，每天在幼儿园里都发生不同的新鲜事，正是宝贝精力最旺盛的时期。

想让这一时期的宝贝乖乖坐下来吃饭，应先让其有饥饿感，强迫只会招来更大的反抗。父母可以轻声问宝贝不想吃饭是什么原因，如果宝贝真的不想吃，父母也无需太担心，等宝贝饿了，自然会主动找东西吃了。

在宝贝脑部发育的重要时期，尤其是宝贝进入幼儿园以后，开始运用大量脑细胞学习语言、数学等知识，接触的人和事物较多，平时家长应帮助孩子多补充有益脑细胞发育的营养素，如糖类、卵磷脂、维生素B族、DHA、牛磺酸，等等。

饮食摄取重点

3~4岁的宝贝，脑细胞生长刚刚完成。幼儿园小班，正是宝贝大脑构成和功能发育的关键时期，需要有利于幼儿脑部发育的营养素合力完成，有效地摄取营养素会直接促进脑部发育。除此之外，妈咪主厨平时应在餐点中增加以下食材，补充营养素，增强宝贝的记忆力、思考力，还有智力的发展喔。

★卵磷脂： 能促进大脑神经系统发育，增加记忆力。

☑食物来源：蛋、豆制品、动物肝脏的卵磷脂最完整；芝麻、山药和黑木耳中也有一定含量。

★糖类： 米饭和面包中的糖类供给脑部活动的能量，在宝贝进入幼儿园的各种学习中，会消耗很多葡萄糖，多补充含糖的食物有助于增加脑部的活力。

☑食物来源：米饭、面包、面条、马铃薯、水果。

★维生素B族： 起到帮助脑细胞内的氨基酸代谢消耗的功能，缺乏时宝贝容易疲倦、缺少元气。此外，也能保护视力健康，促进视神经发育。

☑食物来源：天然新鲜的食物为主，如全谷类食品（胚芽米、糙米、杂粮饭）、瘦肉、蔬菜、水果。

★DHA： 构成神经细胞膜的主要成分，能维持大脑正常运行，协助脑细胞吸收营养、排去废物。

☑食物来源：鱿鱼、鲑鱼、秋刀鱼、石斑鱼、乌贼等海鱼。

★牛磺酸： 牛磺酸是宝贝必需的脂肪酸，有助神经细胞膜的稳定，并且协助大脑传递讯息，增强大脑的运转。

☑食物来源：鱼贝类食物中都含有丰富的牛磺酸。

营养分配标准

3～4岁的宝贝喜欢挑选爱吃的食物，父母应避免宝贝贪吃过度而产生肥胖。同时，为了避免宝贝养成偏食的毛病，应让宝贝多吃各种符合要求的食物，均衡摄取每日"三餐两点"。父母应留心宝贝的"挑嘴"问题，还要控制点心的分量，以免宝贝热量摄取过多造成肥胖，影响发育。

目前全世界通用的健康身体算法是采用"身体质量指数"（Body Mass Index，缩写为BMI），不同年龄层BMI值界定是不同的，其公式为：

$$BMI=体重（千克）\div 身高^2（米^2）$$

3～6岁孩童都有标准范围的BMI值，测量家中宝贝的BMI值，与之进行比较，可以初步判断宝贝是否有偏重或者肥胖的倾向。

3～6岁幼儿的BMI表

年龄	男　生			女　生		
	正常范围	偏重	肥胖	正常范围	偏重	肥胖
	BMI区间	BMI≧	BMI≧	BMI区间	BMI≧	BMI≧
3	14.8～17.7	17.7	19.1	14.5～17.2	17.2	18.5
4	14.4～17.7	17.7	19.3	14.2～17.1	17.1	18.6
5	14.0～17.7	17.7	19.4	13.9～17.1	17.1	18.6
6	13.9～17.9	17.9	19.7	13.6～17.2	17.2	19.1

注：本数值为多数3～6岁幼儿的BMI数值分析结果，仅供家长参考。若宝贝BMI值属于表格中"偏重""肥胖"，但体形并未有明显变化、没有暴饮暴食的表现，均可视为正常。

举例说明：佳佳幼儿园小班新生中，未满4周岁的男生阿民身高是100厘米，体重是16千克，则阿民的BMI值为：16（千克）÷1（米）^{2}＝16，对照上表的"年龄3"的"男生"数据，属于"正常范围"的BMI区间；刚满3周岁的女生圆圆身高是102厘米，体重是12千克，则圆圆的BMI值为：12（千克）÷1.02（米）^{2}≈11.53，对照上表"年龄3"的"女生"数据，低于"正常范围"的BMI区间，属于体形偏瘦的小朋友；已经4岁的女生小洁，身高是104厘米，体重是19千克，其BMI值为：19（千克）÷1.04（米）^{2}≈17.57，对照上表"年龄4"的"女生"数据，属于稍微"偏重"的BMI值，家长应密切关注小洁的饮食情况，避免体重继续飙升。

3～4岁幼儿肠胃较小，加上消化系统尚未成熟，营养主要分配在"三餐两点"中，少量多餐的饮食方法更要注意营养素有无充分摄取。下表为"3～6岁幼儿每日饮食建议摄取量"，家长们应以表中建议的分量为参考，制定每日饮食搭配原则。茶点是用来为正餐之外补充营养素，所以分量要少，以易消化、清淡和新鲜为原则，像当季水果、牛奶、果汁、豆花、面包、三明治、薯泥等都是不错的选择，热量太高及油炸食品则应避免摄入。

3~6岁幼儿每日饮食建议摄取量

食物类型		3~6岁
奶制品（牛奶、优酪乳等）		2杯（480毫升）
蛋类		1~2个
豆制品（豆腐等）		1/2块
鱼类（各类海鱼、江鱼）		1/2两
肉类（各类红肉、白肉）		1/2两
五谷类（米、面、糕点）		1.5~2个
油脂		1.5汤匙
蔬菜	深绿色或深黄红色	1.5两
	其他绿色蔬菜	1.5两
水果		0.5~1个

◎ 1杯牛奶=240毫升

◎ 1汤匙=15毫升

◎ 1个水果=1/6个木瓜=1/3个芭乐=1/2根香蕉=1/2个葡萄柚=1/2个水梨=1/2个苹果=1个橘子=1个柳丁=12粒葡萄

　　已经上幼儿园的宝贝，园里会每天补充三餐两点，似乎是不需要担心宝贝营养不均衡的问题，但根据对台湾100家幼儿园的调查发现：在营养素的供应上，奶类、蛋类、豆类、鱼肉类等食品平均摄入量均比建议摄入量高出2倍以上，而钙质、维生素的摄入却十分有限，包括维生素B族、糖类、膳食纤维、维生素E等营养素均未达标。细心的妈咪主厨除了要留意幼儿园的食谱外，更应对宝贝每日出门前的早餐以及回到家的晚餐，花心思料理和烹饪，以每日建议摄取量为标准，精心挑选食材，补充在幼儿园时摄入不足的营养素。

中班阶段：
4～5岁宝贝的饮食重点

4～5岁是幼儿成长的关键期，营养摄入不仅关乎脑部发育，宝贝的饮食习惯也在这个时期逐渐形成，宝贝头脑里逐渐有了"喜欢"和"讨厌"的食物清单。如果家长也有挑食的问题，宝贝就会跟着学样。因此，父母要特别留意这一阶段的宝贝，避免宝贝养成挑食的习惯，每天按时按规律用餐。

宝贝的肌肉在3岁时开始发展，2岁会用手握笔随手涂鸦和写字，到了5岁时已经可以像大人一样握笔，尽管虎口的握力仍不够，但能慢慢写出字来。饮食中不妨多一些有助肌肉、骨骼生长发育的营养素，如蛋白质、热量、碳水化合物等营养素对肌肉发展有益；钙、磷则是骨骼和牙齿的主要成分；铜、蛋白质则对身体有辅助作用。

饮食摄取重点

宝贝在一周岁以后就可以用整个手掌心握住汤匙、叉子等餐具；3岁以后肌肉慢慢发育，手指开始有力量，可以握紧笔杆画画；到5岁时手指头变得有力，可以用大拇指、食指和虎口的力量使用笔；再加上活动量大、体力旺盛，宝贝爱做奔跑、攀爬等活动。

这一时期，宝贝骨骼构成是"钙质少，胶质多"，与成人刚好相反，因此骨骼多呈现松软的状态，受到外力很容易变形，平时应在饮食中多补充能强健骨骼及有利于肌肉生长发育的营养素。只要骨骼和肌肉两者营养兼顾，宝贝自然能长得又高又壮，足以胜任幼儿园里的各项活动，完成每个全新的挑战。

★蛋白质： 肌肉生长的必需营养素，也是构成肌肉的主要成分，负责修补和代谢肌肉。

☑食物来源：牛奶、豆浆、鸡蛋、黄豆、瘦肉。此外，鱼类富含丰富的蛋白质，谷类中的燕麦、小米、小麦也能补充蛋白质。

★钙： 构成骨骼的成分之一，能增强骨骼强度、促进骨骼生长、预防骨质疏松。建议宝贝在饮食中摄取维生素D可帮助钙质吸收，少喝碳酸饮料、咖啡，以免阻碍钙质吸收。

☑食物来源：芝麻、紫菜、小鱼干、虾米、豆类及豆制品、豆荚类、牛奶、蛋黄为主要来源。

★磷： 人体的磷存在于骨骼和牙齿中，是骨骼的重要成分。摄取磷能增加骨骼的强度，缺乏时宝贝会有生长缓慢、骨龄迟缓的现象。

☑食物来源：含有蛋白质的食物都有丰富的磷，以奶类及奶制品、蛋类、豆类、鱼类、肉类及全谷类食物为主要食物来源。

★铜： 协助胶原蛋白的产生，强化结缔组织。

☑食物来源：动物肝脏、牡蛎、瘦肉、坚果、葵瓜子等。

★镁： 构成骨骼的成分之一，具有放松肌肉，促进钙质吸收的功效。

☑食物来源：谷类、坚果、瘦肉、奶类及奶制品、绿色蔬菜等。

★维生素A： 帮助宝贝牙齿和骨骼正常成长。

☑食物来源：奶制品、蛋类、动物肝脏、鱼类、豆类、胡萝卜、南瓜、番茄、菠菜等。

营养分配标准

进入中班的小朋友，消化系统发育得较好，除了每日三餐外，再加1～2次点心时间，另外补充1杯240毫升的鲜奶，即可达到充足的营养。这一时期的宝贝，女童每日约需1400大卡的热量，男童每日约需1600大卡的热量。

4～5岁的宝贝仍以补充铁质、钙质为主，家长不妨在准备晚餐时，加入吻仔鱼、海带；维生素D能促进人体对钙质的吸收，多吃海鱼、奶酪、坚果等食物，加上多晒太阳、多运动，都有良好的吸收效果。

3～6岁幼儿生长数据表（体重/身高）

体重（千克）	百分比									
	3%		15%		50%		85%		97%	
年龄	男	女	男	女	男	女	男	女	男	女
3	11.4	11	12.7	12.1	14.3	13.9	16.3	15.9	18	17.8
4	12.9	12.5	14.3	14	16.3	16.1	18.7	18.6	20.9	21.1
5	14.3	14	16	15.7	18.3	18.2	21.1	21.3	23.8	24.4
6	16.1	15.5	17.9	17.4	20.5	20.2	23.6	23.7	26.7	27.3

身高（厘米）	百分比									
	3%		15%		50%		85%		97%	
年龄	男	女	男	女	男	女	男	女	男	女
3	89.1	87.9	92.2	91.1	96.1	95.1	99.9	99	103.1	102.2
4	95.4	94.6	99	98.3	103.3	102.7	107.7	107.2	111.2	110.8
5	101.2	100.5	105.2	104.5	110	109.4	114.8	114.4	118.7	118.4
6	106.7	105.5	110.8	109.8	116	115.1	121.1	120.4	125.2	124.8

注：通常情况下，宝贝的身高和体重处于3%～97%属于正常发育。若宝贝的身高和体重≤3%，或者≥3%，应引起家长注意，观察宝贝发育过程中是否存在问题。

大班阶段：
5~6岁宝贝的饮食重点

5~6岁的大班幼儿即是"学龄前儿童"，世界上的早期教育主流观点都建议孩童6岁以后开始学习阅读和认知。这也是中国普遍从6岁以后开始上小学的原因。

宝贝的视力到3岁时，已有0.6；4岁时视力有0.8；5岁时视力达到1.0；到6岁时基本上视神经发育成熟，之后尽管年龄会继续增长，但是视力变化程度并不大，可以说"5~6岁是宝贝奠定视力基础的黄金时期"，家长应在饮食中多提供含丰富蛋白质、维生素A、维生素C、维生素E、花青素、β-胡萝卜素的食材烹饪的菜品。

饮食摄取重点

视力有缺陷不仅影响宝贝将来的学习，对智力发展也有阻碍。从宝贝出生时起，就应当好好正视眼睛的保健问题。若发现宝贝有疑似视力上的问题，应尽早就医。

让宝贝拥有好眼力，即是最大的人生礼物。均衡的饮食及适当的营养搭配，可对眼睛保健起到较大的作用。若想在饮食中为幼儿增加护眼的食材，可购买恰当的食材，从中获取丰富的营养素。

★ 维生素A：构成视觉系统的主要成分，能促进眼睛内感光色素的生成，增进视力及加强眼睛分辨色彩的能力。缺乏维生素A的人对光线的感受能力偏弱，在黑暗环境中的视觉应变能力差，易患夜盲症。此外，还容易导致结膜干燥，眼泪分泌减少，形成"干眼症"，严重时可能导致失明。

✓食物来源：以牛奶、蛋类、动物肝脏居多；植物性食材中胡萝卜是首选；维生素A为脂溶性维生素，要与饱和脂肪酸一起作用才会被人体吸收，最好是入菜食用。

★ 维生素C、维生素E：维生素C是构成眼球中水晶体的主要成分，缺乏时水晶体易变浑浊，导致白内障。维生素C、维生素E都具有保持眼睛血管完整、强化微血管弹性、平衡眼球压力的功能。

✓食物来源：蔬菜、水果都含有维生素C，尤其是高丽菜、芭乐、柳丁、深绿色蔬菜等含量丰富。维生素E则多存在于健康油品（橄榄油、葵花油等）以及坚果类食品中。

★ 花青素：花青素能增进夜视能力，预防眼睛的黄斑病，抑制眼睛有害细胞的生成。

✓食物来源：普遍存在于深红色、紫色的蔬菜和水果中，如茄子、蓝莓、樱桃、深紫色葡萄、黑醋栗等。

★ β–胡萝卜素：β–胡萝卜素构成了视觉系统，能增强宝贝视力和免疫力。除了β–胡萝卜素，叶黄素、玉米黄素等都对眼睛的病变有预防作用。

✓食物来源：主要存在于深黄色、深绿色、红色的蔬菜和水果中，如南瓜、胡萝卜、木瓜等；菠菜、芥菜、香芹等蔬菜中含叶黄素、玉米黄素较多。

★ 中药材：《本草纲目》中提到的菊花、枸杞、红枣、决明子等中药材，是老祖宗流传千年的智慧结晶，对明目护眼有较大帮助。

✓食物来源：菊花、枸杞、红枣、桑葚、乌梅、决明子等。

营养分配标准

5岁以后的幼儿已进入学龄前阶段，此时身体各项器官发育迅速，需要充足的蛋白质和营养素，特别是维生素A、维生素C、维生素D的摄取量已接近成人标准。不过，此时宝贝的胃仍不大，饮食原则应采取"重质量不重数量"，早餐的比重应增加，但不能小于全日饮食总量的1/3。全日摄取的总热量为1400~1450大卡，其中早餐约占总热量的30~35%、午餐约占30%，晚餐约占25~30%，每次点心的热量约为150~200大卡。

此外，宝贝第一颗恒齿出现的时间一般在6岁，建构及保护牙齿的钙质和维生素D是这一阶段不可缺少的。

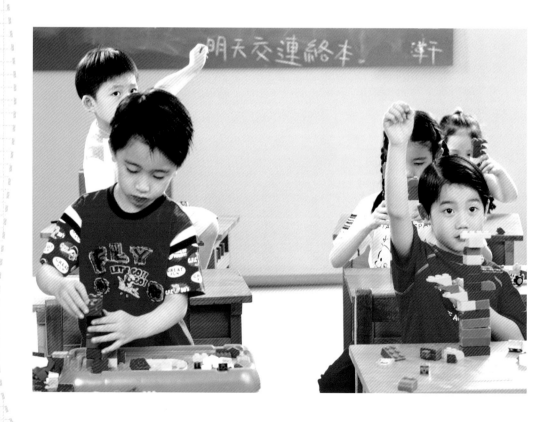

3～6岁是宝贝一生中发育最重要的时期

饮食中的营养吸收，不但影响宝贝的发育，也同样关乎宝贝的智力发展。每个父母都希望宝贝健健康康地快乐长大，只要多花一些心思在每日的餐饮调理上，假以时日，就能有不小的回馈喔！

Part2

3~6岁幼儿园
宝贝的分阶成长家庭餐

聪明·健康·有活力 Smart·Health·Joyful

小班 食谱：
3~4岁的分阶成长家庭餐

　　妈咪主厨可能都有一个共同的感觉，就是家中的小宝贝进了幼儿园以后，突然变得很有主意，体现在回家用餐时会主动选择吃什么和不吃什么。以前你可能哄一哄他就会乖乖就范，现在却常常是费尽心力而未果，宝贝不爱吃的坚决不吃，不妥协，似乎上了幼儿园，反而不好管了。

　　宝贝的这些改变其实是正常的，毕竟上了幼儿园，接触的人和事物都比以前复杂得多。同时，幼儿园的小朋友之间彼此相互影响，使宝贝看待事情的方式逐渐发生变化。爸爸妈妈除了要有耐心地聆听宝贝的心声，更要有正确的小技巧帮助宝贝克服"抗拒不喜欢食物"的心理。例如不妨准备一些可爱的餐具和餐桌布来增进用餐的童趣氛围，或是改变食物的形状，将胡萝卜切成碎末、米饭包成小圆球状、青菜切成小段、小番茄做成小兔子形状等等，让宝贝对食物感兴趣，之后再用鼓励的方式让宝贝主动吃下这些食物。

　　通常来说，3~6岁宝贝周一至周五都会在幼儿园里正常度过，正规幼儿园每日会为宝贝提供"三餐两点"或者"两餐两点"，即每日三顿或两顿正餐，还有额外的两顿茶点（主要是给新鲜水果）。本书所提供的幼儿食谱主要是"幼儿园时间以外的家庭餐"，主要包括家庭早餐、周末午餐、家庭茶点及家庭晚餐，使宝贝像在幼儿园一样得到充分而均衡的营养摄入。

让小班小朋友更喜欢吃饭的方法

★ 要点1：食物形状要切成适合的大小

妈咪主厨在制作料理时，要特别注意肉类、豆类、根茎类蔬果。除了在料理时将上述食材煮得软一些，更要留意食物大小是否适中，是否阻碍宝贝吞咽，尤其是肉类最好是肉馅、薄肉片为主。水果类宜切成方便宝贝一口吞咽的大小，如有果籽应先除去，或是确认宝贝有吐籽的能力。

★ 要点2：养成良好的饮食习惯

营养素的摄取习惯在3~4岁时就已经固定，此时爸爸妈妈要使宝贝养成良好的饮食习惯，有营养的食物尽量多吃，没有营养的食物应忌口，还要形成正确的用餐礼仪。

★ 要点3：使用丰富调味，增加食物香味

3~4岁正是宝贝舌头味蕾愈发成熟的阶段，妈咪主厨烹调时可以适当加入海鲜酱油、醋等味道各异的调味品，增添食物的香味，激发宝贝的食欲。但应注意不适合加入辣椒粉、咖喱、芥末等重口味、过于刺激的调味料。

家庭早餐组合Breakfast

主食 草莓吐司（1人份）

食材 吐司1/2片，草莓酱1大匙。

做法 吐司去边，对切成小正方片，分别涂抹上草莓酱。

其他 水果（1人份）

做法 草莓2颗洗净去蒂，对半切开

汤品 鲜奶玉米脆片（1人份）

食材 纯牛奶180毫升，玉米片2大匙。

做法 玉米片放入碗中，加入纯牛奶即可。

煎培根 （1人份）

 食材 培根1/2个。

做法 培根放入平底锅中，以小火煎熟即可。

 水果 （1人份）

做法 橙子1/4个切半即可。

 法式煎土豆 （1人份）

食材 吐司1片，纯牛奶90毫升，细白糖1匙，蛋1/2个。

做法

1 吐司切去四周硬边，对切三角形，再对切成小三角形。

2 鲜奶与细白糖拌匀，放入小吐司泡软。

3 取出泡软的小三角形吐司，分别沾上打散的蛋汁，放入少许玄米油的平底锅中，小火煎成两面金黄色即可。

小贴士 玄米油又称米糠油、米胚油，有"东方橄榄油"之称，由玄米（糙米）制成，耐高温且不易变质，含有丰富的维生素E，是新兴的健康用油选择，建议作为烹调小朋友料理的食用油。

 纯果汁 （1人份）

食材 任选一种水果榨汁120毫升。

其他 鲜奶 （2人份）

食材 全脂牛奶300毫升。

其他 水果 （2人份）

食材 小番茄10颗，葡萄6颗。

做法 材料全部洗净即可。

主食 综合三明治 （2人份）

食材 吐司4片，玉米粒2大匙，蛋1个，小黄瓜丝2大匙，火腿片1片。

做法

1 平底锅放入油烧热，打入蛋煎熟成荷包蛋；利用余油，加热火腿片。

2 吐司切去四周硬边，取一片放在熟食砧板上，铺上一层玉米粒，盖上第二片吐司；再夹入火腿
片、荷包蛋，盖上第三片吐司；放入小黄瓜丝，盖上最后一片吐司，用3～4支牙签叉住固定
好，再用小刀切成小三角形，即为综合三明治。

小贴士 宝贝用餐时，给予2份小三明治即可。

主食 小披萨 (1人份)

食材 厚片吐司1/2片，奶酪丝2小匙，洋葱丝、红椒丝、黄椒丝各2小匙，虾仁2只。

调味料 番茄酱2小匙。

做法

1 厚片吐司切成小正方形，分别涂上番茄酱，放上洋葱丝、红椒丝、黄椒丝，及去肠泥的虾仁，撒上奶酪丝，放入烤盘。

2 放入已预热的烤箱里，以180℃烤约10分钟，烤至奶酪丝融化、微黄即可。

其他 苹果汁 (1人份)

食材 取新鲜苹果去皮榨汁150毫升。

副食 玉米浓汤 （1人份）

食材 玉米酱1/4罐，火腿丁1大匙，猪肉馅10克，蛋1/4个，香菜少许。

调味料 盐1/3小匙，糖1/4小匙，太白粉1/2大匙。

做法

1 锅里倒入150毫升水，加入玉米酱煮开，加入火腿丁及肉馅以中小火煮片刻，再加入盐、糖拌匀，以太白粉调水（太白粉：水＝1：3）勾芡。

2 蛋打散，慢慢加入到汤中拌匀成细小的蛋花即是玉米浓汤，盛出，撒上少许香菜即可。

主食 吻仔鱼炒饭 （1人份）

食材 白饭或燕麦饭1/2碗，鱼2大匙，胡萝卜末1大匙，香菜末1/2小匙。

调味料 盐1/3小匙，糖1/4小匙，太白粉1/2大匙。

做法

1 起锅，锅中加入1小匙油烧热，先放入吻仔鱼以小火炒香，炒至微黄，取出。

2 锅中续入1/2小匙油，放入白饭以小火炒松，再入胡萝卜末拌炒，加入吻仔鱼及盐炒匀，起锅前加入香菜末拌匀即可。

汤品 蘑菇浓汤（2人份）

食材 洋菇3朵，火腿丁2大匙，鸡胸肉丁2
大匙，巴西里末少许。

调味料 盐1/2小匙，鲜奶4大匙，太白粉1大匙。

做法

1 洋菇切成片状；鸡肉丁拌入1/2小匙太白粉
抓匀。

2 锅中倒入清水500毫升煮沸，放入洋菇、鸡
肉及火腿丁以中小火煮片刻，加入盐、鲜奶
拌匀，最后以太白粉调水（太白粉：水＝
1∶3）勾芡，盛出，撒上巴西里末即可。

主食 鱿鱼番茄面（2人份）

食材 菠菜面4两（150克），鱿鱼肉2大匙，
番茄1个，芹菜末1小匙。

做法

1 菠菜面放入滚水中，以中火煮5分钟，捞出漂
凉、沥干。

2 鱿鱼压碎成小块；番茄洗净划十字余烫，捞
出，剥去外皮，切大丁备用。

3 起锅，加入油烧热，放入番茄炒软，再入面
条、芹菜末及鱿鱼碎拌炒均匀，加入盐调味
即可。

主食 面线羹 （1人份）

食材 手工白面线2两，瘦肉1两，甜不辣1根，新鲜香菇1朵，胡萝卜末、芹菜末各1小匙。

调味料 太白粉1/2小匙，盐1/2小匙，香油1/2小匙。

做法

1 面线先剪小段，放入滚水中汆烫，捞出，用冷水漂凉后，捞出，沥干水分备用。

2 瘦肉切小片，加入太白粉拌匀；甜不辣切小圈片；香菇去蒂，切丁备用。

3 锅中倒入250毫升清水煮沸，放入面线以小火煮2分钟，再加入肉片、甜不辣、香菇及胡萝卜末煮2分钟，加入盐调味。

4 起锅前，滴入香油，撒入芹菜末提香即可。

其他 水果 （1人份）

食材 番石榴1/4颗洗净，去芯后切小块。

 主食 鸡肉乌龙面 （1人份）

 其他 水果 （1人份）

食材 乌龙面100克，鸡胸肉40克，胡萝卜丝1大匙，菠菜1棵，鱼板1片。

调味料 A料：水2大匙，太白粉1/2小匙。

B料：高汤250毫升。

C料：盐1/2小匙。

做法

1 鸡胸肉切丝，加入A料拌抓均匀；菠菜洗净，切小段。

2 锅中加入高汤煮滚，放入乌龙面以中小火先煮1分钟，再分别放入胡萝卜丝、鱼板、鸡肉丝、菠菜煮2分钟，再加入盐调味即可。

小贴士 鸡胸肉加入水及太白粉抓拌，可使口感软嫩。

食材 木瓜1/4颗洗净，去皮及籽，以爱心模压出形状，或是切成4块即可。

1 焦糖布丁 (4人份)

食材 **布丁材料：** 蛋3个，鲜奶240毫升，细白糖50克，香草精1/2小匙。

焦糖材料： 细白糖4小匙。

做法

1 蛋打散，加入鲜奶、糖、香草精拌匀，以滤网过滤至4个布丁杯内。

2 烤盘内加入1厘米高的热水，放入布丁杯，移入已预热10分钟的烤箱中，以150℃上下火烤至布丁液凝固（约20分钟）。

3 每个布丁表面撒入1小匙细白糖，以喷枪喷至表面焦黄即可。

小贴士 家中没有喷枪时，可拿1把长柄铁汤匙，瓦斯炉开小火，加热铁汤匙（手要隔块布拿着），把烧烫的汤匙压在撒了糖的布丁表面，反复数次至细白糖变焦。

2 松饼 (4人份)

食材 **松饼材料：** 蛋1个，细白糖25克，鲜奶100毫升，低筋面粉100克，溶化奶油1小匙，泡打粉1小匙。

淋酱材料： 蜂蜜1小匙。

做法

1 面粉及泡打粉过筛。

2 糖与鲜奶放入大碗中拌匀，打入蛋一起搅拌均匀，依序加入面粉、泡打粉、奶油拌匀，即为松饼面糊。

3 取厚平底锅，以厨房纸巾抹少许油，舀入1大匙面糊，流成小圆片，小火煎至表面呈现小气孔时，翻面再煎黄。

4 将松饼装盘，淋上蜂蜜即可食用。

3 鲜奶冻 (4人份)

食材 鲜奶2杯，胶冻粉1大匙，细白糖2大匙，草莓4片。

做法

1 容器洗净，擦干水分，放入糖及胶冻粉拌匀，放入鲜奶拌匀后，移至瓦斯炉上，以小火边煮边搅拌至沸腾后熄火，倒入4个模型内待凉，放入冰箱冷藏凝固。

2 食用时摆上草莓片，也可淋上少许蜂蜜增添风味。

4 巧克力豆饼干 (约40片)

食材 奶油约110克，蛋2个，细白糖1/4杯，红糖1/4杯，巧克力豆1/2杯，切碎核桃1/2杯，低筋面粉3杯，泡打粉1小匙，小苏打粉1小匙。

做法

1 奶油放置在室温下软化后，放入钢盆内以打蛋器打成糊状，再将细白糖及红糖分次加入拌打至绒毛状后，分数次加入打散的蛋液，以打蛋器拌匀。

2 面粉、泡打粉及小苏打粉过筛加入，再加入巧克力豆及核桃碎，以橡皮刮刀轻轻混拌成团（不黏手），即是粉团生料。

3 烤箱以200℃预热10分钟，备用。

4 取1小块粉团用手剥成自然的纹路，间隔放入铺了烘焙纸的烤盘上，入烤箱以200℃烤约20～25分钟，至表面呈浅咖啡色即可。

5 给小朋友吃点心时，1次给予2～3片即可。

家庭晚餐组合 Dinner

汤品 玉米菠菜汤（2人份）

食材 玉米粒4大匙，菠菜2棵，肉馅少许。

调味料 盐2/3小匙，香油少许。

做法

1 菠菜洗净，切小段。

2 锅中放入600毫升水煮沸，放入菠菜、肉馅及玉米粒煮2分钟，加入调味料拌匀即可。

其他 水果（2人份）

做法 橙子1个，切成8片后取6片。

主食 奶焗虾仁通心面（2人份）

食材 虾仁6只，通心面100克，新鲜香菇1朵，熟胡萝卜片4片，奶酪丝2大匙。

调味料 A料奶油糊：奶油2大匙，面粉2大匙，鲜奶1/4杯，高汤1杯，盐1/3小匙。
B料：盐1/4小匙。

做法

1 通心面放入滚水中，以中小火煮8分钟取出沥干；虾仁洗净，挑除肠泥，擦干；鲜香菇去蒂，切片备用。

2 起油锅，加入1大匙玄米油，放入香菇片炒香，续入熟胡萝卜片、通心面拌炒片刻，放入盐调味，即为馅料。

3 另起油锅，放入奶油以小火煮融，加入面粉炒化，再加入鲜奶、高汤及盐拌炒成乳白色的糊状，即是奶油糊。

4 取出1/4碗奶油糊备用，馅料加入剩余奶油糊中拌匀，分别装入2个容器内，放入烤箱，以180℃上下火烤约20分钟，至表面呈浅咖啡色即可。

主食 蛋包饭（1人份）

食材 蛋1个，白饭1/2碗。

调味料 A料：太白粉1/2小匙，水1大匙。

　　　　B料：盐1/4小匙，番茄酱1大匙。

　　　　C料：番茄酱适量。

做法

1　蛋打散，加入A料调成的太白粉水拌匀，即为蛋液。

2　起油锅，加1小匙油烧热，放入白饭炒松，加入B料拌匀，即是红饭。

3　平底锅加热，抹上一层油，淋入蛋液，流转成圆片，待蛋液快凝固时，放入红饭，将另一边的蛋皮折过来盖住，即是蛋包饭，轻轻滑入容器内。

4　食用时淋上番茄酱即可。

小贴士 煎蛋皮时，加入少许太白粉水和蛋液拌匀，可增加蛋皮的韧性，不易破裂。

副食 双色蔬菜（1人份）

食材 花椰菜1朵（约50克），胡萝卜1小块（约30克）。

调味料 盐1小匙。

做法 花椰菜切小朵；胡萝卜切小滚刀块，分别放入加有盐的滚水中煮软，捞出即可。

汤品 蟹肉鲜菇汤（1人份）

食材 蟹腿肉20克，香菇3小朵，芹菜末1小匙。

调味料 盐1/3小匙，香油1小匙。

做法

1　锅中放入300毫升水煮沸，放入剥小片的香菇及蟹腿肉煮3分钟，加入调味料拌匀。

2　起锅前撒入芹菜末即可。

主食 南瓜焖饭 （4人份）

食材 白米1杯，南瓜320克。

调味料 盐1小匙。

做法

1 白米洗净，放入电饭锅内；南瓜洗净去籽（皮保留），切成一口大小，放入电饭锅，加入1杯水，按下按键，煮至跳起后，再焖5分钟即是南瓜饭。

2 要食用时，可撒上少许海苔粉。

主菜 照烧鸡腿 （4人份）

食材 去骨鸡腿1只。

调味料 A料：玄米油2大匙。
B料：酱油、味精、水各3大匙。

做法

1 去骨鸡腿洗净，擦干水分。

2 平底锅加油烧热，将鸡腿带皮面朝下，以小火煎至两面变黄；再加入B料，以小火烧至汁微干，即可取出切小块。

小贴士 鸡腿用肉鸡，肉质才够软嫩，如是土鸡，紧实的口感会使小朋友不易咀嚼。

其他 茶碗蒸 （4人份）

食材 蛋4个，虾仁4只。

调味料 盐1小匙，味精4小匙。

做法

1 蛋打散，加入水480毫升及调味料拌匀，以滤网平均过滤至4个容器内。

2 蒸锅中加入水煮沸，放入做法1的原料，以中小火蒸7分钟，表面放上一只去肠泥的虾仁，再续蒸2分钟即可。

小贴士 加入味精能让蒸蛋风味更加甘醇；蒸蛋时不可用大火，否则表面易起蜂洞组织，口感不佳。

副食 清炒青江菜 （4人份）

食材 青江菜4棵。

调味料 玄米油4小匙，盐1小匙。

做法 青江菜洗净，切成约3厘米小段，放入烧热的油锅中以小火炒熟，加入盐调味即可。

主食 紫菜饭团 （2人份）

食材 白饭1碗，小包装海苔6长片。

做法 白饭放入模型内压紧扣出呈6个长方形，分别以海苔片从中间包卷起来即可。

主菜 麦年煎鱼 （2人份）

食材 鱼肉100克，面粉1小匙，蛋1/2个。

调味料 盐1/3小匙，胡椒粉少许，玄米油1大匙，海苔粉少许。

做法

1 鱼片表面撒上盐、胡椒粉。

2 取鱼片，先沾上面粉，再沾上打散蛋汁，入烧热油锅，以小火两面煎黄，取出。

3 要食用时，撒上海苔粉提味。

小贴士 任何方便买到的白色无刺鱼皆可。沾了蛋汁入煎的鱼不油腻，而且有浓浓的蛋香味。

副食 番茄高丽菜 （2人份）

食材 高丽菜100克，大红番茄1/2个。

调味料 玄米油1大匙，盐1/3小匙。

做法

1 高丽菜洗净，切成拇指大的丁状；红番茄切大丁，备用。

2 起油锅，加入油烧热，先入番茄以中火炒软，加入高丽菜炒至软化，最后加入盐调味拌匀。

汤品 肉丸汤 （2人份）

食材 胛心肉馅120克，葱末、姜末各1/2小匙，芹菜末1大匙。

调味料 A料：盐1/3小匙，香油1小匙，水2大匙，太白粉1小匙。

B料：盐1/2小匙。

做法

1 胛心肉馅加入A料及葱末、姜末混合充分拌匀，即为肉丸子馅。

2 锅中加入水600毫升煮沸，以左手虎口挤出小圆球肉泥，放入锅中以中火煮熟，加入B料拌匀，起锅前撒入芹菜末即可。

"小班"每日饮食组合建议

在大脑构成最重要的3~4岁关键期，每日的家庭规划餐中，维生素B族的摄取量必须首先予以满足。幼儿园时期儿童营养摄入中，维生素B_1普遍存在缺乏的问题。一般来说，幼儿园时期的宝贝，维生素B_1的需求量在0.7克左右，维生素B_2的需求量在0.7~0.9克。另一种重要的营养素，是对任何年龄段孩童都非常重要的钙质，幼儿园时期每日需求量在600克左右。

早餐	早餐推荐❶	早餐推荐❷	早餐推荐❸	早餐推荐❹
点心	绿豆汤1碗（160毫升）	鲜奶1杯（180毫升）	奇异果优酪乳1杯（奇异果1/2去皮与180毫升优酪乳放入榨汁机搅打成汁）	原味优酪乳1袋（180毫升）
午餐	午餐推荐❶	午餐推荐❷	午餐推荐❸	午餐推荐❹
点心	点心推荐❶	点心推荐❷	点心推荐❸	点心推荐❹
晚餐	晚餐推荐❶ +奇异果1/2个	晚餐推荐❷	晚餐推荐❸	晚餐推荐❹
营养备注	◎早餐中的谷类玉米片以及绿豆汤中的绿豆富含维生素B_1；鲜奶、蛋类及绿豆富含维生素B_2。 ◎食量较大的宝贝若想加餐，可多补充鲜奶或钙质较多的水果（如芭乐、奇异果、柑橘类水果等）。	◎米面食品、瘦肉及蔬菜能提供丰富的维生素B_2。 ◎每日建议奶制品摄取360毫升，即每日摄入2杯鲜奶即可满足标准。	◎玉米、蛋类能提供丰富的维生素B族。 ◎奶制品及菠菜可提供充足的钙质。 ◎可以给宝贝多补充膳食纤维高的食材，如全麦面包、空心菜、四季豆等，每日摄取膳食纤维达11克即可。	◎南瓜、鸡腿能提供丰富的维生素B族，尤其是南瓜，维生素B_1的含量极为丰富。

　　注：此表为"小班3～4岁儿童的每日建议饮食组合"，针对幼儿园阶段孩童的家庭饮食，为各位家长提供参考。请根据表中的推荐家庭餐，找到对应的食谱为宝贝爱心烹饪。

小班阶段的饮食与生活习惯答疑

家中若有幼儿园阶段的宝贝，父母们最关心的事情，莫过于宝贝在幼儿园的生活状态，比如在幼儿园里听不听老师话，跟别的小朋友相处得怎样，学到了什么东西，每天吃得怎么样。就饮食而言，3~4岁初上幼儿园的宝贝，确实是问题不少。尤其是周末带宝贝外出就餐时，宝贝一进餐厅就像脱缰的野马一样，管都管不住。除此之外，下面的这些问题包含了此阶段父母对宝贝饮食方面的共性困扰及疑问。

问题1：宝贝一进餐厅就兴奋地跑来跑去，站不稳、坐不牢，吃饭时还不专心，食物经常掉得满桌子都是，无论是对他讲道理还是命令都无效，真的不晓得该怎么办？

解答：宝贝一到陌生的环境里，就会无法控制好奇心，兴奋得坐也坐不住，站也站不好，叫其安安静静地吃饭，显然不是一件容易的事。爸爸妈妈对此不用过度操心，不妨用宝贝喜欢的东西来转移其注意力，像有些宝贝喜欢汽车玩具，父母就可以在就餐时带上小汽车玩具；有的宝贝喜欢听故事，父母就可以给宝贝讲故事，以转移注意力让其坐住，再让宝贝慢慢进餐。在等待餐点的间隙，无事可做的宝贝很容易按捺不住，此时可以带宝贝去洗手间洗洗手，或者让服务生先上饮料、面包等茶点，同时找机会教导宝贝外出用餐的礼仪。

问题2：宝贝已经上小班了，但还是不会用筷子，平时都用叉子和汤匙吃饭，勉强用筷子夹菜方法也不对，教也教不会，我应当怎么办呢？

解答：宝贝手的虎口肌肉发育情况各异，一般来说，满三周岁的宝贝可以开始学习用筷子吃饭。用餐时，可以鼓励宝贝使用筷子，模仿大人用筷子的方式。这一阶段，父母不要急于纠正宝贝使用筷子的方式是否正确，如果父母拿筷子的姿势是正确的，宝贝自然会有样学样；若父母用筷子的方式不正确，就很难要求宝贝学会正确的用餐方式。其实，只要能够灵活使用筷子，方式正确与否效果不会差很多，这一阶段不必强求宝贝用筷子绝对正确。

问题3：上了小班后，宝贝的胃口突然变得很重，喜欢咖喱、红烧肉、盐酥鸡等，食物如果没有特别的调味，像青菜、水果之类的，他碰都不碰，该怎么办呢？

解答：如果只吃某一类食物，而拒绝其他食物，说明宝贝可能出现了味觉障碍，味觉和嗅觉不够灵敏，如果没有特别调味的食物，吃起来就淡而无味，无法勾起食欲。另外一种可能性是在幼儿园摄入较多重口味的食物，导致喜欢重口味食物。由于幼儿园的饮食无法选择，可以通过补充矿物质锌来改善，通过清淡的家庭餐来调理和中和宝贝的重口味饮食。

问题4：我和孩子爸爸都是打工族，平时下班很晚，很少有时间在家做饭，多数是买外面的便当吃，不过外面的便当都很油腻，这对孩子的发育有影响吗？

解答：仍然建议家长亲自下厨给宝贝制作家庭餐，毕竟亲自烹饪的食物更卫生，也不会出现食品安全问题。如果情非得已去外面买便当吃，尽量去感觉很干净的餐饮店，少给宝贝吃油腻、油炸的食物，每顿菜肴中必须至少有一种是青菜，再买点优酪乳或水果作为茶点。

问题5：孩子从幼儿园回到家中，有必要再补充点心吗？

解答：3～4岁初上幼儿园的宝贝，消化器官尚未发育完全，一日三餐无法满足所需营养，一天中有1～2次茶点时间就足够补充正餐中不足的营养。由于幼儿园每天会提供2次餐点，所以宝贝回到家中可以不用再补充点心。如果宝贝想要吃，可以少量提供一些低糖、不油腻的糕点，但要注意不宜在晚餐之前给宝贝吃点心。

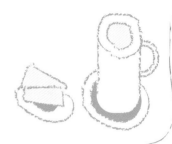

问题6：如果宝贝回家想吃点心，可以吃奶油蛋糕吗？

解答：奶油蛋糕除非宝贝过生日，平常是不建议摄取的，还有高卡路里的水果塔和慕斯也要避免。最好选择脂肪含量较少的蛋糕，如海绵蛋糕、优格蛋糕、奶酪蛋糕等烤制的蛋糕。

问题7：巧克力、糖果都含有不少糖分，对牙齿是不是都很不好，要不要给宝贝吃呢？

解答：容易使宝贝造成蛀牙的，主要是长时间停留在嘴里的食物，像口香糖、各种糖果建议少吃；热量较高的巧克力，不建议食用。

问题8：宝贝可以吃棒冰吗?

解答：由于舌头一碰棒冰就有透心凉的感觉，很少有宝贝能抗拒棒冰的滋味。常见的棒冰、雪糕、冰激凌等，3周岁以上的宝贝基本上都可以吃，但要注意是"偶尔吃"，不宜多吃，以免影响正餐食欲或者拉肚子。

问题9：水果含有丰富的维生素C，一天要给宝贝吃多少水果才足够呢?

解答：水果营养价值很高，又有天然的甜味，作为宝贝的家庭早餐或茶点都很合适。幼儿每日应从水果中摄取的总热量约为160卡，换算成水果分量，大约是1根香蕉、1颗葡萄柚，或3个柚子的量。

问题10：宝贝似乎很爱吃薯片、马铃薯片等小食品，但是这类食品的盐分和热量都很高，究竟每天吃多少是适宜的呢?

解答：以马铃薯片为例，通常一包马铃薯片的总热量约为500卡左右，而宝贝每日的茶点摄入热量不宜超过200卡，如果一次性吃完一包马铃薯片，那就超过正常热量的2倍。对于马铃薯片这种高盐食物（约为成人每日钠摄入量的1/4），摄取过多会影响宝贝智力发育，因此建议少给宝贝吃。

中班 食谱：
4~5岁的分阶成长家庭餐

已经上中班的宝贝，有随时随地想吃的渴望，尤其中意马铃薯片、糖果、含糖饮料，会主动要求爸爸妈妈买这些零食。做父母的常常一心软就答应，时间长了宝贝营养摄取不正常或小胖墩的问题就出现了。宝贝周末吃零食的时间，也应当像幼儿园的安排一样，最好集中在早餐和午餐之后的1~2小时，以免影响宝贝正餐进食。

中班宝贝的消化能力已慢慢向大人看齐，食物烹饪上无需制作得过于软烂，宝贝可以和大人一起用餐。在餐桌上可以适时鼓励宝贝使用筷子。

让中班小朋友更喜欢吃饭的方法

★ 要点1：可加入一些生食和粗纤维蔬菜

小班时要避免调味太重，给宝贝蔬菜纤维较粗的蔬菜（如青椒、芹菜、韭菜、菇类等），而在中班阶段常见食材则都可以放进料理中，让宝贝的口腔接受不同的味道，摄取较多的纤维素。

★ 要点2：和大人吃一样的食物

4～5岁的宝贝牙齿已经长得很牢固，可以跟大人吃一样软硬的食物，且不会噎住或咬不断。妈咪主厨在料理时不用太在意食物是否太大，应多训练宝贝用牙齿咬断、咀嚼的能力。

★ 要点3：开始学会使筷子

4～5岁的宝贝，肌肉发育进入一个新阶段，手的灵活度足以使用筷子吃饭。学习使用筷子时，宝贝难免会有挫折感，家长们应用正面的鼓励帮助宝贝，不可一时心软让宝贝继续使用汤匙或叉子，而落后于其他同龄小朋友。使用筷子，不但能增强宝贝的自信心，认为自己和爸爸妈妈一样厉害，也能加速宝贝手部肌肉的发育。

除了使用筷子外，还应当让中班的宝贝逐渐尝试一些精细的手部操作（如握笔、写字等），多摄取能帮助肌肉发育的高蛋白质食物。摄取足够的热量，适度补充钙质，增强宝贝的运动量，是这一阶段的饮食原则。小鱼干、海带芽、鲜牛奶、优酪乳，都是4～5岁宝贝每日的理想食物。

其他 水果（2人份）

做法 金黄奇异果1颗去皮，切片后食用。

主食 美味营养粥（2人份）

食材 糙米1/2杯，山药1小段（约70克），胡萝卜丁2大匙，肉馅2大匙，青豆仁2大匙，紫地瓜丁2大匙。

调味料 盐1小匙，胡椒粉少许。

做法

1 糙米洗净；山药去皮，切丁备用。

2 糙米放入锅中，加入水5杯（1200毫升）以大火煮滚。水沸后转中小火煮约20分钟，加入肉馅、山药丁、胡萝卜丁及紫地瓜续煮5分钟，最后放入调味料拌匀。

鱿鱼蛋三明治 （2人份）

 食材 吐司2片，蛋1个，罐头鱿鱼肉3大匙，洋葱丁1/2小匙，芹菜丁1/2小匙。

调味料 玄米油1小匙，沙拉酱2小匙，胡椒粉适量。

做法

1 吐司去边，放入面包机烤至金黄。

2 罐头鱿鱼肉沥干油分压碎，加入沙拉酱洋葱丁拌匀，撒入胡椒粉调味，即为馅料。

3 平底锅放入油烧热，打入蛋，煎成荷包蛋，取出。

4 烤黄的吐司涂上馅料，放上荷包蛋，用另一片吐司盖上，以利刀从对角切成三角形，再对切，呈4个小三角形即可。

 酸奶 （2人份）

做法 市售酸奶200毫升。

 水果 （2人份）

做法 小番茄10颗，去蒂、洗净即可。

主食 中式汉堡（1人份）

〈汉堡做法（6人份）〉

食材 牛肉馅150克，洋葱末1小匙，胡萝卜末1小匙，芹菜末1小匙，盐1/3小匙，胡椒粉1/4小匙，香油1大匙，太白粉1小匙。

做法 全部材料放入碗中混合拌匀，平均分成6小份的圆球，入冰箱冷冻，食用时取出解冻。

〈组合〉

食材 小面包1个，汉堡肉1份，蛋液1/2个，大番茄1片，生菜1片。

调味料 玄米油1大匙。

做法

1 小面包蒸软备用。

其他 水果（1人份）

做法 橘子1/2颗，去皮、剥片食用。

其他 鲜奶（1人份）

做法 全脂鲜牛奶180毫升。

2 平底锅入油烧热，汉堡肉入平底锅压扁，小火两面煎黄，取出。余油加热，倒入蛋液煎成蛋皮，取出。

3 小面包依次夹入生菜、汉堡肉、蛋皮、番茄片，即是中式汉堡。

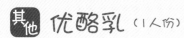

其他 优酪乳（1人份）

食材 原味优酪乳180毫升。

其他 水果（1人份）

做法 草莓2颗去蒂、洗净，切半即可。

主食 山药鱿鱼豆皮寿司（1人份）

食材 三角稻禾（豆皮）5片，山药1小段（100克），罐头鱿鱼肉1大匙，沙拉酱1小匙，海苔香松少许。

调味料 盐1/3小匙，胡椒粉少许。

做法

1 罐头鱿鱼肉沥干油分后压碎；山药去皮，切片蒸软后压成泥状，和沙拉酱、鱿鱼碎、调味料混合拌匀，即为馅料。

2 打开三角稻禾，装入约1大匙左右的馅料，即为山药鱿鱼稻禾寿司，再撒些海苔香松装饰，可增加美味。

副食 卤鹌鹑蛋（1人份）

食材 肉燥料适量（肉燥做法可见"肉燥河粉汤"），鹌鹑蛋4个。

做法 鹌鹑蛋放入肉燥料中，以小火煮至鹌鹑蛋上色入味，捞出即可。

小贴士 稻禾寿司皮可在超市买到，有三角形或方形，可随个人喜好。

（1人份）

主食 肉燥河粉汤

〈肉燥做法（6人份）〉

食材 肉馅230克，小鸽蛋12个，红葱酥2大匙，八角1粒。

调味料 A料：玄米油2大匙。

B料：酱油1/2杯，冰糖1大匙，水2杯。

做法 锅中入油烧热，入肉馅炒熟，加入酱油小火炒至上色，再入红葱酥、八角、冰糖、水，煮沸后加入小鸽蛋，改小火熬煮50分钟，即是肉燥。

〈组合〉

食材 河粉1/3片，豆芽菜少许，芥兰1小株，虾仁2只，肉燥1大匙，小鸽蛋2个，芹菜末1小匙。

做法

1 河粉、豆芽菜及芥兰洗净；河粉切宽条；虾仁挑除肠泥，洗净备用。

2 取另一锅，放入400毫升水煮沸，放入河粉以中火煮2分钟，加入芥兰、虾仁、豆芽菜煮片刻，入盐调味。

3 河粉连汤倒入碗中，舀入肉燥，加入小鸽蛋，撒上芹菜末即可。

其他 水果（1人份）

做法 橙子1/2颗洗净，切片即可。

汤品 鲜鱼味噌汤 (2人份)

食材 白肉鱼（鲷鱼片）60克，海带芽少许，葱花1/2小匙。

调味料 味噌1大匙，盐1/3小匙，糖1/2小匙。

做法

1 鱼肉洗净，切小块；海带芽以冷水泡涨后取出，切小段备用。

2 锅中放入500毫升水煮沸，放入鱼肉、海带芽，以中火煮4分钟，将味噌放入小滤网中，以汤匙磨入汤中拌匀，加盐、糖调味。

3 起锅前撒入葱花，宝贝要吃时盛出1/2分量即可。

主食 南瓜咖喱鸡饭 (2人份)

食材 白饭2碗，南瓜1/6个（120克），鸡柳60克，咖喱粉2小匙。

腌料 盐1/2小匙，水2大匙，太白粉1小匙。

调味料 玄米油1大匙，盐2/3小匙，太白粉1小匙。

做法

1 鸡柳洗净，切小块，加入腌料抓匀备用。

2 南瓜洗净，去籽，切大小适中块。

3 起锅放入油烧热，放入鸡肉以中小火炒熟，再放入南瓜拌炒片刻，加咖喱粉以小火炒香，再加500毫升水以大火煮沸，转小火焖4分钟至南瓜软，加入盐调味，以太白粉调水（太白粉：水＝1：3）勾芡，即是南瓜咖喱鸡。

4 取一盘，装入米饭，舀入1/2分量的南瓜咖喱鸡即可。

主食 鲑鱼蛋炒饭 （2人份）

食材 白饭1碗，鲑鱼肉2两（75克），黄椒丁、红椒丁各1大匙，青豆仁1大匙，胡萝卜末1大匙，青江菜1棵，蛋1个。

调味料 玄米油1大匙，盐1/2小匙，胡椒粉少许。

做法

1 鲑鱼肉切小丁，入锅中以小火先煎熟（不必加油）；青江菜洗净，切细末备用。

2 起锅，加入玄米油烧热，入蛋以小火炒散，再入米饭炒松，再加入剩余材料混合拌炒，最后放入盐、胡椒粉炒匀。

汤品 番茄豆腐青菜汤 （2人份）

食材 大番茄1/2个，豆腐1/2块，小白菜1棵，小鱼干少许。

调味料 盐1/2小匙，香油1小匙。

做法

1 番茄取1个洗净，汆烫后去皮，取1/2个切大丁；豆腐洗净切丁；小白菜洗净，切小段备用。

2 锅中放入500毫升水煮滚，先入豆腐、番茄、小鱼干以小火煮3分钟，再入青菜煮1分钟，最后加入调味料拌匀。

主食 什锦汤面（1人份）

食材 细面条75克，大番茄50克，新鲜香菇1朵，肉片20克，蛤蜊3个，虾仁20克，小白菜1/2棵，浓汤400毫升。

调味料 A料：水1大匙，太白粉1/2小匙。

B料：盐1/2小匙，香油1小匙。

做法

1 肉片加入A料抓匀；蛤蜊泡水吐沙；虾仁挑除肠泥，背部划一刀纹，洗净擦干；香菇洗净，去蒂切小丁备用。

2 番茄洗净，切大丁；小白菜洗净，切小段备用。

3 锅中放入高汤煮沸，放入面条、番茄、香菇以中火煮2分钟，再加入肉片、虾仁、蛤蜊及小白菜续煮2分钟，加入B料拌匀即可。

其他 水果（1人份）

做法 小香蕉1根去皮，切段即可。

家庭茶点组合 Dessert

1 吐司布丁 (2人份)

食材 吐司2片，蛋1个，葡萄干1小匙，鲜奶1/2杯，细白糖1大匙，香草精1/4小匙，料酒1大匙。

做法

1 吐司去边，共切成6片小三角形；葡萄干放入兰姆酒中泡软；烤箱预热至140℃。

2 鲜奶、糖、香草精放入碗中拌匀，打入蛋拌匀，再用滤网过滤。

3 取2个小烤皿，排入吐司，倒入做法2的蛋液，撒上葡萄干。

4 烤皿置于烤盘上，烤盘内加入热水至1厘米高，放入烤箱中，以140℃烘烤约20分钟，至蛋液凝固即可。

2 凤梨酥 (30人份)

食材 A料：无盐奶油100克，蛋1个，糖粉100克，奶粉2大匙，盐少许，低筋面粉360克。

B料：市售菠萝馅500克。

C料：长方形凤梨酥模数个。

做法

1 奶油放在室温下软化；面粉、盐、奶粉一起过筛即为粉料；烤箱预热至上下火180℃。

2 盆中放入奶油、糖粉，以打蛋器打至奶油颜色变浅呈绒毛状，加入蛋搅打成乳白色后，放入粉料，以橡皮刮刀轻轻按压混合成不黏手的面团，盖上保鲜膜，静置松弛20分钟。

3 菠萝馅分30等份，揉成小圆球备用。

4 松弛好的面团分切成30等份，压扁包入馅料，揉圆后压入模型内整平，排入烤盘。

5 凤梨酥放入烤箱烤约10分钟，翻面再烤约6分钟至表面金黄，取出趁热脱模，分数次把30个烤完。

3 巧克力戚风蛋糕 (9寸蛋糕)

食材 A料：低筋面粉1杯，细白糖3/4杯，泡打粉1/2小匙，盐少许，可可粉1大匙。

B料：蛋黄4个，鲜奶1/4杯，色拉油1/4杯。

C料：蛋白4个，细白糖1/4杯，柠檬汁1/2小匙。

D料：9寸海绵蛋糕活动模。

做法

1 材料A中的粉类过筛3次后，和细白糖一起置于钢盆内，将材料B依序加入盆中，以橡皮刮刀轻轻拌匀成糊状。

2 另取一钢盆，加入C料，以打蛋器打发至尖峰状态，加入做法1材料轻轻拌匀，即为蛋糕生料。模型以厨房纸巾沾水擦拭，倒入生料至8分满。

3 烤箱以200℃预热10分钟后，关掉上火，放入模型，以下火200℃烤约20分钟，再开上火续烤5分钟，以试针或长竹签插入蛋糕内，若竹签不沾生料，即可取出倒扣。

4 蛋糕完全冷却后，即可脱模，切成12片，小朋友一次给予1片食用。

小贴士

◎ 如何判断蛋白打至尖峰状态？可用打蛋器举起蛋白朝上，蛋白尖端不下垂的状态即可。

◎ 做戚风蛋糕时，在模型抹上水分，是为了让脱模的蛋糕外皮不会有焦焦的颜色。

◎ 倒扣是指把蛋糕连模型翻转倒立过来。戚风蛋糕专用模中间有根高于四周圆模的空心管柱，可以直接倒扣放凉，若用普通海绵蛋糕模制作的话，可以倒扣在冷却架上。

4 地瓜煎饼 (4人份)

食材 地瓜1小条（约200克），细白糖2大匙，地瓜粉1/2杯。

做法

1 地瓜去皮洗净，切片，放入电饭锅或蒸锅中蒸至软化，取出，加入糖压成泥状。

2 加入地瓜粉，揉成耳垂软度的地瓜团。

3 地瓜团分切成12小块，分别揉圆球，再压成扁圆状。

4 平底锅加热，加少许玄米油，入地瓜饼煎至两面金黄后取出，约可做12片。

主食 红豆饭 (2人份)

食材 红豆1/4杯，白米1/2杯。

做法

1 红豆先入滚水中氽烫取出，放入冷水中浸泡一夜。

2 白米洗净，与沥干的红豆混合，放入电饭锅内，加入水1/2杯，以正常煮饭程序煮好后，续焖5分钟，即是红豆饭。

3 以饭团模型盖出4个饭团，宝贝一次给予2个饭团。

小贴士 红豆氽烫后使用，可去除苦涩味。红豆松香软绵，又有补血功效，小朋友可以多吃。

主菜 煎肉排 (2人份)

食材 猪里脊肉2片，熟白芝麻少许。

腌料 米酒2大匙，酱油4大匙，糖2小匙，五香粉1/2小匙，太白粉2大匙。

调味料 玄米油2小匙。

做法

1 肉片洗净，以槌肉棒两面拍松，放入碗中，加入腌料拌腌20分钟至入味。

2 平底锅加入玄米油烧热，放入肉片以小火两面煎黄，取出，切长条，撒上白芝麻即可。

副食 脆瓜甜不辣 (2人份)

食材 小黄瓜1/2条，甜不辣2根。

调味料 玄米油1小匙，盐1/3小匙，香油1小匙。

做法

1 小黄瓜洗净以锯齿刀切成波浪状圆片；甜不辣洗净，切小段。

2 锅中入油烧热，加入小黄瓜片、甜不辣拌炒片刻，放盐、香油调味即可。

汤品 白萝卜鱼丸汤 (2人份)

食材 白萝卜100克，小鱼丸4个，芹菜末1小匙。

调味料 盐1/2小匙，胡椒粉少许，香油1/2小匙。

做法 白萝卜去皮洗净，切小方块，放入锅中，加入500毫升水煮沸，再加入小鱼丸以小火续煮10分钟至白萝卜软烂，加入调味料拌匀，起锅前撒入芹菜末即可。

其他 水果 (1人份)

做法 苹果1/2个洗净，切片，如图切成小兔子形状。

主食 意式通心面（1人份）

食材 短管通心面3大匙。

做法 通心面放入滚水中，以中小火煮8分钟至软，捞出沥干，盛盘。

主菜 软煎小牛排（1人份）

〈蘑菇酱（4人份）〉

食材 洋菇2朵，肉馅2大匙，洋葱丁2大匙。

调味料 玄米油1小匙，意大利综合香料1/3小匙，番茄酱2大匙，盐1/2小匙，高汤1杯，太白粉1小匙。

做法 锅中入油烧热，以中火将洋葱丁炒香，加肉馅以小火炒熟，洋菇切丁加入拌炒，再加入综合香料炒香，放入番茄酱炒片刻后，加入盐、高汤煮沸，最后以太白粉调水（太白粉：水＝1：3）勾薄芡，即是蘑菇酱，此为4份。

〈组合〉

食材 沙朗牛排1片（约50克）。

调味料 玄米油1小匙，蘑菇酱1份。

做法 平底锅加热，加入油烧热，入牛排，先用大火两面煎微黄，再改中小火将牛排煎约3分钟至熟，取出切小方块排盘，淋上蘑菇酱即可。

小贴士 牛排先用大火将两面煎焦，用意是封住肉汁，如此牛排才会软嫩多汁。

副食 马铃薯泥（1人份）

食材 马铃薯50克。

调味料 盐、胡椒粉各1/4小匙，海苔粉少许。

做法 马铃薯去皮洗净，蒸熟压泥，加入盐、胡椒粉拌匀，以冰淇淋勺挖球状，盛盘，撒上海苔香松即可。

副食 双色蔬菜（1人份）

食材 甜豆4根，冷冻胡萝卜3根。

做法 甜豆洗净，去荚边老筋，和胡萝卜一起放入滚水中氽烫，捞出盛盘。

汤品 南瓜浓汤（1人份）

食材 南瓜60克，高汤200毫升，鲜奶油少许。

做法

1 南瓜去皮，洗净去籽，放入电饭锅中蒸约5分钟至熟软，与高汤放入榨汁机中打成糊状。

2 南瓜糊放入小锅中以小火煮开，加入盐调味，熄火。

主食 肉燥饭（1人份）

食材 白饭3/4碗，肉燥2小匙，油菜1棵。

做法

1 油菜洗净，切小段，放入加有少许盐的滚水中烫软，取出沥干备用。

2 白饭盛入碗中，淋上肉燥，放上油菜即可。

副食 芙蓉豆腐蒸虾（1人份）

食材 芙蓉豆腐1块，虾仁1只，淋酱1包（买豆腐附赠的淋酱），香菜末少许。

做法

1 虾仁挑除肠泥，在背部划一刀纹，洗净擦干。

2 芙蓉豆腐放入盘中，放上虾仁，淋入淋酱，入水滚后的蒸锅，以中火蒸约5分钟，取出，撒上香菜即可。

副食 茄汁甜不辣（1人份）

食材 甜不辣2根。

调味料 玄米油1小匙，番茄酱1大匙，糖1/2小匙，水3大匙。

做法

1 甜不辣洗净，切小段备用。

2 锅中加入油烧热，放入甜不辣以小火煎黄，加入番茄酱、糖、水，以小火焖煮片刻即可。

"中班"每日饮食组合建议

　　4~5岁的中班宝贝，肌肉发育逐渐成熟，可以达到稳定握笔的程度。从饮食中摄取构成肌肉的蛋白质很重要，如奶类、蛋类、豆类、瘦肉等。此外，巩固牙齿和骨骼在这一时期同样重要，钙、磷、镁等营养元素都要兼顾。平日在早餐和睡前给宝贝提供1杯鲜奶，或是三餐中有一餐采用全谷类作为主食，即能保证营养的摄取。

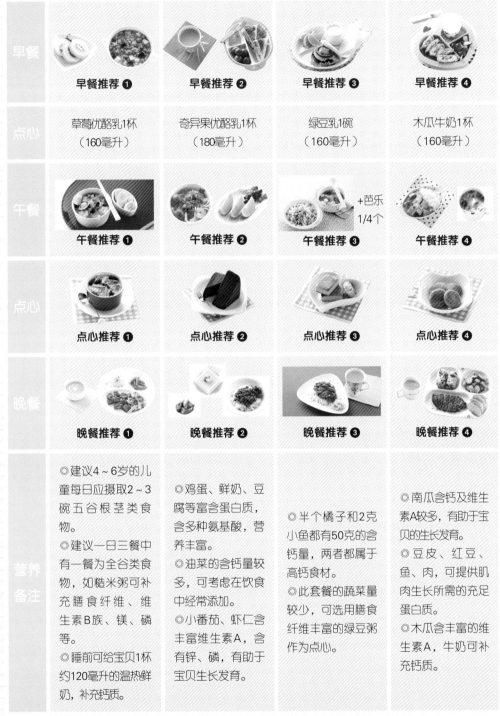

早餐	早餐推荐❶	早餐推荐❷	早餐推荐❸	早餐推荐❹
点心	草莓优酪乳1杯（160毫升）	奇异果优酪乳1杯（180毫升）	绿豆乳1碗（160毫升）	木瓜牛奶1杯（160毫升）
午餐	午餐推荐❶	午餐推荐❷	午餐推荐❸ +芭乐1/4个	午餐推荐❹
点心	点心推荐❶	点心推荐❷	点心推荐❸	点心推荐❹
晚餐	晚餐推荐❶	晚餐推荐❷	晚餐推荐❸	晚餐推荐❹
营养备注	◎建议4~6岁的儿童每日应摄取2~3碗五谷根茎类食物。 ◎建议一日三餐中有一餐为全谷类食物，如糙米粥可补充膳食纤维、维生素B族、镁、磷等。 ◎睡前可给宝贝1杯约120毫升的温热鲜奶，补充钙质。	◎鸡蛋、鲜奶、豆腐等富含蛋白质，含多种氨基酸，营养丰富。 ◎油菜的含钙量较多，可考虑在饮食中经常添加。 ◎小番茄、虾仁含丰富维生素A，含有锌、磷，有助于宝宝生长发育。	◎半个橘子和2克小鱼都有50克的含钙量，两者都属于高钙食材。 ◎此套餐的蔬菜量较少，可选用膳食纤维丰富的绿豆粥作为点心。	◎南瓜含钙及维生素A较多，有助于宝贝的生长发育。 ◎豆皮、红豆、鱼、肉，可提供肌肉生长所需的充足蛋白质。 ◎木瓜含丰富的维生素A，牛奶可补充钙质。

注：此表为"中班4~5岁儿童每日建议饮食组合"，针对幼儿园阶段孩童的家庭饮食，为各位家长提供参考。

中班阶段的饮食与生活习惯答疑

幼儿园阶段的宝贝对于吃，已经懂得选择喜欢和不喜欢，爱吃零食和含糖饮料，令家长们时常苦恼。爸爸妈妈最担心的宝贝肥胖问题，在幼儿园时期即有征兆，对此必须引起注意喔。

问题1： 我家的宝贝每次吃饭时，都会把不喜欢的菜挑出来，只把喜欢的吃掉，怎么说都不听，不知该怎么办？

解答： 3岁以后，宝贝对于食物开始有明显好恶，吃完饭，碗里只剩下不爱吃的食物。此时妈妈可以尝试性让宝贝自己选择吃还是不吃，或者借由玩乐的方式诱导宝贝吃下讨厌的食物。另一种方法是告诉宝贝他所讨厌食物的优点，如"吃了皮肤会变白、长高高""吃了就有力气玩球啦"，引导宝贝进行所向往的改变。若是宝贝坚持不愿意吃某类食物，最后的法子是用另一种食物替代宝贝不喜欢的食物，以保证营养摄取均衡而不偏废。

问题2： 我老公在晚餐时偶尔会喝瓶啤酒，宝贝看到了也想要喝上一口，请问是不是宝贝一点酒都不能沾？

解答： 小朋友是绝对禁止饮用含酒精的饮料，即使只是含气泡的啤酒也不能尝试。酒精会影响宝贝的神经中枢运转，伤害脑细胞，饮用后可能会有急性酒精中毒或脑性麻痹的症状出现。

问题3：老话常说小时候的胖不是胖，长大了就会拉长，但小时候胖一点真的就没有关系吗？

解答：虽然说小时候长得胖，长大后不一定会变成胖子，但是有研究显示，12岁以前成长数据为肥胖的儿童，长大后变胖的概率：男性为86%，女性为88%。因此，从小养成良好的饮食习惯，是避免日后变胖的最好方法。脱离婴儿期的宝贝，成长速度非常惊人，体形也会变化较多，有的孩子明显比别人长得又高又壮，有的则比较瘦弱或肥胖。

不良的生活和饮食习惯，是影响体重的重要原因。父母应当准备一个本子，定期记录宝贝的体重及身高数值。假使宝贝的生活习惯或作息不正常，数值就会呈现紊乱，则父母应当督促宝贝回归正常的生活作息，并尽可能以身作则。

问题4：我儿子最近有愈来愈偏食的现象，尤其爱吃泡面不爱吃米饭，请问这样对孩子的发育是不是不好？

解答：泡面含有磷酸盐，会阻碍人体吸收钙质的能力，并且泡面中含有防腐剂，对幼儿身体有不良影响。加上泡面的调味包味道重，宝贝喝过咸的汤，会加重身体的负担。建议父母煮婴儿细面，清淡调味，加适当青菜给宝贝食用。

大班 食谱：
5~6岁的分阶成长家庭餐

5~6岁上大班的小朋友，由于消化器官已接近成熟，主要的营养摄取集中在一日三餐里。若需要点心，最好提供水果、鲜奶、坚果，分量不宜过多，用餐时间放在正餐后，以免宝贝养成吃零食的习惯。

为避免宝贝日后有肥胖及心血管问题，最好在5岁时开始注意宝贝脂肪的摄取。一般家庭常买的蛋糕、吐司、奶酥面包、甜甜圈等甜品，含有较多的糖分及奶油，热量过高，不宜作为宝贝的早餐。建议用全麦面包作为早餐主食，若宝贝不太喜欢，可抹上沙拉酱或果酱，夹入火腿、奶酪。

让大班小朋友更喜欢吃饭的方法

★ 要点1：注意饮料、零食的摄取

通过2~5岁的宝贝身上的脂肪细胞数目可以预测其未来的肥胖指数，尤其5~6岁宝贝的脂肪细胞变化比较明显，建议家长们平时应多注意宝贝的日常零食、饮食及点心的摄取量，改善偏食的毛病。少吃零食可避免宝贝在正餐时吃不下东西。

★ 要点2：让宝贝帮忙做家务

妈妈洗菜时，可让宝贝在一旁协助，也能让宝贝对吃饭产生乐趣。简单的如洗米、洗菜，或是让宝贝摘掉四季豆的荚边老筋；难一点的，让大一点的宝贝用塑料的玩具刀切菜、切水果；吃饭前让宝贝摆碗筷和盛饭，饭后让宝贝收拾自己的碗筷……对宝贝来说，亲身体验做菜并参与其中，就像做游戏一样，不但能在就餐时激发食欲，还能锻炼手脚及四肢的协调性，一举多得。

★ 要点3：让宝贝自己选择要吃的食物

5~6岁的宝贝自主能力强，可以在保证营养均衡的前提下，让宝贝挑选喜欢吃的食物。同时，宝贝跟大人一起用餐时，尽量不去帮助他，让宝贝学会使用筷子夹菜和用餐，使宝贝从小就独立起来。

大班阶段是决定宝贝未来视力的关键期，应多为宝贝补充对眼睛有益的维生素A、维生素C、β-胡萝卜素等，可自行用榨汁机榨取果菜汁，利用胡萝卜、木瓜、番茄、芹菜、小黄瓜等天然果蔬汁，为宝贝补充视力保健所需的营养。

家庭早餐组合♥Breakfast

主食 煎饭饼 (1人份)

食材 白饭1/2碗，蛋1个，胡萝卜末、青豆仁各1大匙。

调味料 玄米油1小匙，盐1/3小匙，胡椒粉少许。

做法

1 蛋打散，加入白饭、胡萝卜、青豆及盐、胡椒粉拌匀，即为馅料。

2 平底锅入油加热，取1大匙的馅料摊成扁圆片，分别将两面煎黄，共煎成3片。

其他 优酪乳 (1人份)

食材 原味优酪乳180毫升。

其他 水果 (1人份)

做法 奇异果1/2个去皮，切片后食用。

小贴士 食用时，可以淋上番茄酱增加风味。

（3人份）

主食 南瓜芋头麦片粥

食材 南瓜1/5个（约150克），芋头1/3个（约120克），麦片4大匙，巴西里末少许。

调味料 盐1小匙。

做法

1 南瓜去籽洗净，切小丁；芋头去皮洗净，切小丁；麦片洗净备用。

2 深锅中放入1000毫升水烧沸，放入麦片、南瓜、芋头以小火煮10分钟成糊状，加盐调味，撒上巴西里末。

小贴士 南瓜和芋头的搭配是个新鲜的点子，口感和味道却意外相合，再加入麦片即是简单、方便、美味，又有饱足感的早餐选择，老少咸宜。此份早餐可再加上1杯180毫升的鲜奶，补充钙质、蛋白质及维生素A。

其他 水果（3人份）

做法 油桃1个洗净，去除中间核，切片食用。

 主食 肉松蛋饼（1人份）

食 材 冷冻蛋饼皮1片，蛋1/2个，肉松2大匙。

做 法

1 平底锅中用厨房纸巾抹少许油，放入蛋饼皮，以小火两面略煎，取出，倒入打散的蛋液，盖上蛋饼皮，煎至蛋液凝固，取出。

2 蛋饼皮有蛋皮的那面朝上，铺上肉松，卷成筒状，分切小块食用即可。

 其他 豆浆（1人份）

做 法 泡好的黄豆放入豆浆机榨汁180毫升。

 其他 水果（1人份）

做 法 草莓3颗洗净，去蒂即可食用。

主食 萝卜糕 （1人份）

食材 白萝卜900克。

调味料 玄米油1小匙，薄盐酱油膏1小匙。

做法 平底锅入油加热，放入萝卜糕以小火两面煎黄，取出切小块装盘，淋上酱油食用。

〈 自制萝卜糕 〉

食材 白萝卜900克，米粉300克，小麦淀粉1/2杯，腊肉丁1/2碗，盐1大匙，胡椒粉少许。

做法

1 白萝卜去皮刨丝；米粉及小麦淀粉混匀，加入3杯水拌匀，即为粉浆。

2 起油锅，加2大匙油炒腊肉丁、萝卜丝，加入1杯水及盐、胡椒，以小火焖软。

3 粉浆倒入做法2的锅中搅拌成糊状，倒入铺有玻璃纸的模型内，大火蒸40分钟，取出放凉即可。

副食 白蒸蛋 （1人份）

食材 蛋1个。

做法 冷水中放入洗净的蛋1颗，加入1小匙盐，水沸后以中小火将蛋煮5分钟至熟后捞出，泡入冰水中泡凉、去壳，取半个切片盛盘。

副食 小热狗 （1人份）

食材 小热狗3根。

做法 3根小热狗表面各划三刀，放入平底锅中，以少许油煎至金黄色，取出盛盘。

其他 豆浆 （1人份）

做法 泡好的黄豆放入豆浆机榨汁180毫升。

主食 鸡肉丸饭 （2人份）

食材 白饭1碗，鸡胸肉丁4大匙。

调味料 水2大匙，太白粉1小匙，香油1小匙，盐2/3小匙，胡椒粉少许，海苔香松少许。

做法

1 鸡丁放入碗中，加入腌料抓匀。

2 锅中放入香油烧热，加入鸡丁炒熟，再加入白饭炒松，加入盐及胡椒粉炒匀，盛出。

3 分别捏揉8个小圆球，盛盘，撒上海苔香松即可。

副食 胡萝卜煎蛋 （2人份）

食材 蛋1个，胡萝卜末2大匙。

调味料 玄米油1小匙，盐1/3小匙，胡椒粉少许。

做法

1 蛋打入碗中，加入胡萝卜末及盐、胡椒粉拌匀。

2 平底锅每次加入1/4小匙油烧热，取1大匙馅料，煎成小圆片的蛋饼，总共做成4片煎蛋，盛盘。

（2人份）

汤品 油菜吻仔鱼羹

食材 吻仔鱼1大匙、胡萝卜末少许、油菜100克，海带芽少许。

调味料 盐1/2小匙，太白粉1小匙，香油1滴。

做法

1 油菜洗净，切小段；海带芽泡涨备用。

2 小锅中放入600毫升水煮滚，放入鱼以中小火煮2分钟，再入油菜煮1分钟，续加入胡萝卜及盐调味，以太白粉调水（太白粉：水＝1：3）勾芡，最后滴入香油即可。

其他 水果 （2人份）

做法 小番茄12颗去蒂、洗净即可食用。

副食 白蒸蛋 （2人份）

食材 蛋1个。

做法 鸡蛋洗净，放入冷水中加入1小匙盐煮沸，水沸后改中小火煮5分钟至熟，取出泡入冰水中泡凉、去壳，切成锯齿状盛盘。

主食 馄饨汤 （2人份）

〈馄饨〉

食材 细肉馅150克，葱末、姜末各1/2小匙，小馄饨皮4两。

调味料 盐1/3小匙，胡椒粉少许，水3大匙。

做法 肉馅和葱末、姜末放入碗中，加入调味料拌匀作为馅料；取小馄饨皮，中间摆上1小匙馅料，对折，再将一端拉起包折成帽子状，全部做好，放入冷冻库中冷冻。

〈组合〉

食材 馄饨10粒，蛋1个，豆芽菜少许，鸿禧菇1株，芹菜末1小匙。

调味料 盐1/2小匙，香油少许。

做法

1 鸿禧菇（可替换为其他菇类）洗净后，切小朵；豆芽菜洗净；蛋打成蛋液备用。

2 锅中倒入600毫升水煮沸，加入馄饨以小火煮熟，放入鸿禧菇及豆芽菜略煮，淋入蛋液做成蛋花，加入盐及香油调味，撒上芹菜末。

其他 水果（2人份）

做法 葡萄6颗洗净，和切片苹果4片，分装
成2盘。

主食 玉米面疙瘩（2人份）

食材 玉米酱3大匙，中筋面粉1杯，虾仁3
只，瘦肉片3片，青江菜1棵。

调味料 太白粉1/2小匙，盐1小匙，香油1小
匙，胡椒粉少许。

做法

1 面粉用滤网筛入容器中，加入玉米酱拌揉成
光滑的面团。

2 虾仁挑除肠泥，洗净，背部划一刀纹；肉片加
入太白粉抓匀；青江菜洗净，切小段备用。

3 锅中放入600毫升水煮沸，玉米面团用手剥
成小块，边剥边放入滚水中，以小火煮5分
钟，加入肉片、虾仁、青江菜续煮1分钟，
加入盐、香油及胡椒粉调味即可。

汤品 巧达浓汤 （2人份）

食材 洋菇2朵（切丁），鸡胸肉丁2大匙，火腿丁2大匙，蟹腿肉丁2大匙，烤过的面包丁少许。

调味料 A料奶油糊：奶油2大匙，面粉2大匙，鲜奶2大匙，高汤2杯。

B料：盐1小匙，胡椒粉少许。

做法

1 制作奶油糊：热锅，以小火将奶油煮融，放入面粉炒匀，加入鲜奶及高汤煮成乳白色的稀糊。

2 将切丁材料（面包丁除外）放入奶油糊中煮熟，加入盐、胡椒粉调味，食用时撒些烤过的面包丁即可。

副食 双色蔬菜 （2人份）

食材 花椰菜2朵，冷冻胡萝卜6根。

做法 花椰菜洗净，切小朵，和冷冻胡萝卜一起放入滚水中焯烫，捞出沥干。

主食 意大利肉酱面 （2人份）

食材 意大利面100克，蘑菇酱2大匙，巴西里末少许。

做法 意大利面放入滚水中煮8分钟，捞出沥干，装盘，淋上蘑菇酱，撒些巴西里末即可。

家庭茶点组合 Dessert

1 百香果冻 （8人份）

食材 果冻粉2大匙，细白糖4大匙，水1杯，百香果汁2杯。

做法

1 小锅洗净擦干，先入糖，再入果冻粉，再加入水拌匀，移至瓦斯炉上以小火煮沸拌至溶化，熄火。

2 百香果汁加入做法1中拌匀，分装入8个模型内放凉后冷藏凝固即可，小朋友每次取1份食用。

小贴士 浓缩百香果汁，以水和果汁4：1的方式稀释使用，亦可更换成任何喜爱的果汁，做成不同口味的果冻。

2 蛋挞 （16人份）

食材 挞皮材料：市售蛋挞皮16个。

蛋奶液材料：鲜奶420毫升，细白糖100克，蛋4个，香草精1/4小匙。

做法

1 烤箱预热至170℃。

2 制作蛋奶液：蛋放入大碗中以打蛋器打散，加入香草精拌匀，放入鲜奶及细白糖全部混合，再以滤网过滤。

3 蛋奶液倒入挞皮中至8分满，放入烤箱中，烤约20分钟至中间蛋奶液部分凝固即可取出，小朋友每次取1个食用。

3 起酥杏桃派 (1人份)

食材 冷冻酥皮1张，蛋黄液1/4个，杏桃豆沙馅1大匙。

做法

1 烤箱预热至180℃。

2 起酥皮对切成2个长方片，分别包入杏桃豆沙馅，对折，取少许蛋黄抹在边缘，再以叉子压上压纹使酥皮黏合，在中间以利刀划2刀，涂上蛋黄液，排入烤盘，放入烤箱烤约10分钟，至表面微焦黄即可。

小贴士 杏桃豆沙馅可在烘焙材料行购买，也可更改成任何喜欢的豆沙，或是芝麻、枣泥、莲蓉等口味。

4 杏仁瓦片 (约8片)

食材 蛋白2个，色拉油2大匙，低筋面粉2大匙，杏仁片1/2杯，细白糖2大匙。

做法

1 烤箱预热至160℃。

2 蛋白与糖先拌匀，加入色拉油搅拌，再用滤网过筛加入面粉充分拌匀至没有颗粒状，最后加入杏仁片拌匀，即为饼干料。

3 烤盘上铺烘焙纸，间隔取1大匙饼干料并摊平成很薄的圆形，入烤箱烤约12分钟至焦黄，即可取出。小朋友一次约给3片即可。

汤品 菠菜羹（1人份）

食材 菠菜40克，胡萝卜丁1大匙，罐头玉米粒1大匙，高汤300毫升。

调味料 盐1/3小匙，太白粉1小匙。

做法

1 菠菜洗净，放入滚水中汆烫，取出放入冷水中漂凉，取出沥干，切末备用。

2 高汤放入小锅中煮开，放入胡萝卜丁、玉米粒以中小火略煮，再加入菠菜末煮1分钟，加入盐调味，最后以太白粉调水（太白粉：水＝1：3）勾芡即可。

主食 亲子饭（1人份）

食材 加钙米饭3/4碗，鸡胸肉1条（约30克），蛋1/2个，洋葱1/3颗，海苔香松少许。

海带高汤材料：海带1小片，柴鱼片2大匙，水180毫升。

调味料 水2大匙，太白粉1小匙，香菇酱油2大匙，海苔香松1小匙。

做法

1 鸡胸切小片，加入腌料抓匀；洋葱切丝；蛋打散；白饭盛入大碗中备用。

2 制作海带高汤：锅中放入水煮滚，放入海带、柴鱼片以中火煮1分钟，捞出柴鱼片及海带。

3 以小火加热，加入香菇酱油及洋葱丝煮软，放入鸡肉煮熟，淋入蛋液，待快凝固时立即熄火，移入白饭上，撒上海苔香松即可。

主食 五谷饭（2人份）

食材 五谷米1杯。

做法 五谷米洗净，加入2杯水浸泡一夜，隔天放入电饭锅中按正常煮饭程序煮熟。

主菜 卤牛肉（3斤）

食材 牛腱心1800克，姜4片。

卤包材料：丁香5分，山柰1钱，白豆蔻1钱，大茴香1钱，小茴钱1钱，陈皮1钱，桂皮1钱，甘草1钱，花椒1钱。

调味料 酱油2杯，水8杯，糖2大匙。

做法

1 牛腱心入滚水中汆烫去血水，捞出，洗净备用。

2 锅中放入调味料煮滚，放入卤包、姜片、牛腱心，以中小火卤1个半小时，熄火，浸泡一夜，使之入味。

3 取出切片，小朋友一次给4片。

小贴士 牛腱卤制程序烦琐耗时，不妨一次多做点，可以一块块分别包装，放入冷冻库中保存，可保存1~3个月，食用前放在常温下解冻，再切片食用。

副食 番茄炒蛋（2人份）

食材 蛋1个，番茄1个。

调味料 玄米油2小匙，盐1/2小匙，糖1/2小匙。

做法

1 蛋打散；番茄切小丁。

2 锅中加入油烧热，放入番茄炒软，淋入蛋液，待蛋液快凝固时开始拌炒，均匀加入盐及糖调味，盛盘。

（2人份）

副食 油菜炒金针菇

食材 油菜4棵（约120克），金针菇2株（约20克）。

调味料 玄米油2小匙，盐1/2小匙。

做法

1 油菜和金针菇洗净，切小段。

2 起锅，入油烧热，放入油菜及金针菇炒软，加盐调味即可。

（1人份）

主食 **咖喱海鲜饭**

食材　白饭2/3碗，虾仁4只，中卷、鱼肉各30克，洋葱片20克。

调味料　玄米油1小匙，咖喱粉1小匙，盐1/2小匙，太白粉1小匙。

做法

1　中卷洗净切小圈；虾仁挑除肠泥，洗净，背部划一刀纹；鱼肉洗净、切小块备用。

2　锅中入油烧热，加洋葱片炒香，加入中卷、虾仁、鱼肉拌炒片刻，再加咖喱粉以小火炒香，放入300毫升水煮滚，加盐调味，最后以太白粉调水（太白粉：水＝1：3）勾芡，淋在白饭上即可。

（1人份）

汤品 **玉米排骨汤**

食材　小排骨2块，玉米段2段。

调味料　盐1/2小匙。

做法

1　小排骨先入滚水中汆烫去血水，捞出，洗净备用。

2　小锅中放入600毫升水煮沸，放入小排骨以中火煮20分钟，再加玉米段煮10分钟，加盐调味即可。

炸猪排饭（1人份）

食材 白饭3/4碗，猪里脊肉1片，面粉1大匙，蛋1/2个，面包粉2大匙。

腌料 米酒1小匙，酱油2大匙，糖1/2小匙，五香粉1/4小匙，蒜泥1/4小匙。

调味料 番茄酱1大匙，海苔香松1小匙。肉片用槌肉棒两面拍松，加入腌料拌腌20分钟至入味。

做法

1 取出肉片，先沾上面粉，再沾蛋汁，最后沾上面包粉，入油锅中，以160℃炸至金黄，取出切粗条。

2 取一大盘，盛入白饭，摆上猪排后，淋上番茄酱、撒上海苔香松即可。

副食 生菜丝（2人份）

食材 胡萝卜1小块（10克），高丽菜丝2大匙（30克）。

做法 胡萝卜汆烫后，取出切丝，和高丽菜丝混合即可。

其他 柳橙汁（2人份）

做法 新鲜柳橙榨汁120毫升。

 主食 肉丸子细粉（1人份）

 其他 水果（2人份）

食材 肉馅50克，葱末、姜末各1/4小匙，小油豆腐3块，粉丝1把，芹菜末1小匙。

做法 小番茄5颗洗净，做成兔子的形状，再用黑芝麻做眼睛。

调味料 A料：盐1/4小匙，香油1小匙，水1大匙，太白粉1/2小匙。

B料：盐1/2小匙，香油1/2小匙。

做法

1 肉馅加入葱末、姜末及A料拌匀，即为肉丸子馅。

2 粉丝泡软，剪小段备用。

3 小锅中加入600毫升水烧开，放入粉丝以小火煮2分钟，再将肉馅以虎口挤出小圆球入锅中煮2分钟，加入油豆腐及B料煮开拌匀，撒入芹菜末即可。

① ② ③

"大班"每日饮食组合建议

　　5~6岁的大班宝贝，应着重视力保健，维生素A自然是首选营养素；其次，构成眼球水晶体的维生素C、维生素E也同等重要。6岁左右开始换牙的小朋友，仍然要注意钙质的补充。这一时期维生素D的摄取量已跟成人一样，多吃鱼，适量补充蛋黄，平时多晒太阳，就能避免维生素D摄取不足引发的骨骼生长病变。

早餐	早餐推荐❶	早餐推荐❷	早餐推荐❸	早餐推荐❹
点心	香蕉1根+鲜奶1杯（180毫升）	草莓优酪乳1杯（180毫升）	苹果牛奶1杯（160毫升）	木瓜优酪乳1杯（120毫升）
午餐	午餐推荐❶	午餐推荐❷	+芭乐 午餐推荐❸	午餐推荐❹
点心	点心推荐❶	点心推荐❷	点心推荐❸	点心推荐❹
晚餐	晚餐推荐❶	晚餐推荐❷	+奇异果1/2个 晚餐推荐❸	晚餐推荐❹
营养备注	◎此套餐的维生素A非常充足。 ◎膳食纤维可略微补充，建议父母早餐时可选用多种蔬果（如奇异果、菠萝等）和鲜奶一起打汁饮用，即可补充足够的膳食纤维。	◎此套餐符合健康潮流的全谷类饮食，南瓜和豆角的维生素A含量丰富，多种水果搭配，维生素C也不匮乏。	◎吻仔鱼含有丰富的维生素D，可促进钙质吸收。 ◎胡萝卜是维生素A及β–胡萝卜素主要来源。 ◎杏仁的膳食纤维极多，含大量维生素E及不错的钙质。	◎此套餐的维生素A含量最多，除了胡萝卜外，菠菜的维生素A和钙质含量都很高。 ◎本套餐的蔬菜摄取种类多，膳食纤维含量高。 ◎钙质大部分从优酪乳及鲜奶中获得。

注：此表为"中班5～6岁儿童每日建议饮食组合"，针对幼儿园阶段孩童的家庭饮食，为各位家长提供参考。

大班阶段的饮食与生活习惯答疑

宝贝念大班后，开始跟大人们一起用餐了，家长们的常见问题是："这个年纪的宝贝真的什么都能吃吗？"此外，6岁左右的宝贝到了该换乳牙的时候，家长应如何留意宝贝的牙齿保健呢？

问题1： 最近很流行吃糙米之类的杂粮饭，请问家里的宝贝也可以吃吗？会不会不好消化？

解答： 不会的。糙米或是杂食类的米饭，含有多种矿物质和维生素，对于不爱吃蔬菜的宝贝，可以补充其缺乏的膳食纤维，以防止便秘。若担心宝贝消化不良、吃东西肚子痛，可以将杂粮米蒸得软一些，或是混进比例不等的白米饭蒸煮。宝贝吃糙米或杂粮饭，不但能补充营养，还能锻炼咀嚼，使宝贝的下巴肌肉变发达。家长可以不定期更换杂粮种类，让宝贝尝试不同的米饭味道。

问题2：我家宝贝最近开始换牙了，听说乳牙长得不整齐，恒齿也会跟着不整齐，这说法是真的吗？

解答：乳牙长得不齐整，多半是下颚狭窄的缘故，新长出来的恒齿也会受影响，这是先天因素决定的，很难避免。另外，后天不好的习惯，如吸咬手指、奶嘴，也是造成牙齿不整的原因之一。若乳牙因为患有蛀牙而在6岁前脱落，为了不使之后长出的恒齿不整齐，可装上牙套，避免齿列不整。

问题3：我老公每天回家都是八点多，我会热饭给他吃，家中的两个宝贝看见了，非要跟着爸爸一起吃，这样是不是不好呢？

解答：宝贝睡前吃东西不仅容易发胖，第二天起床时，肚子也会觉得饱饱的，早餐很难吃下，不仅容易扰乱用餐时间，还有可能出现便秘。为养成宝贝三餐正常的习惯，最好临睡前不让宝贝再吃东西。

问题4：请问可以让宝贝吃些维生素片来补充营养吗？

解答：宝贝在发育期间需要补充足够的营养来供给身体所需，家长们可以藉由维生素片或营养素来增强宝贝生长所需的能量。天然食物中营养丰富，不是某几种维生素就可以概括，并且吃东西本身就是一种乐趣和享受，因此与吃营养片剂相比，让宝贝尝试各类食物才是最好的方法。

不偏食食谱：
让妈妈烦恼一扫而空的食谱

说破了嘴，宝贝说不吃就不吃，

这时就需要妈咪主厨开动脑筋，

将宝贝不爱吃的食材，变成他喜爱的料理。

让宝贝吃上优质营养的食物，

妈咪从此不再烦恼！

宝贝马上喜欢的海鲜食谱

　　来自海洋的食物，有一种特别的海鲜味，对小朋友来讲就是怪怪的味道，尤其鱼身上的刺，别说是小朋友，连大人们都有过被刺哽住的阴影。想让小朋友乖乖吃下海鲜，可以试试以下的方法。

破解方法1：去除鱼刺

　　较有弹性的鱼类可以剔去骨头后，撕或切成碎末，和其他材料及调味料一起拌炒，即可掩盖小朋友讨厌的海鲜味。

破解方法2：沾裹粉浆油炸

　　常用在白肉鱼或是蚵仔的烹调上。做法为粉浆调制完成后，放入鱼肉沾裹再入锅油炸，最后淋上小朋友最爱的番茄酱或沙拉酱，就可巧妙掩盖鱼味。

（1人份）

1 秋刀鱼鸡粒炒饭

食材 白饭1/2碗，秋刀鱼1/4条（1段），鸡胸肉丁2大匙，胡萝卜丁1大匙，青豆仁1大匙，玉米粒1大匙。

调味料 水1大匙，太白粉1/2小匙，玄米油1大匙，盐1/2小匙。

做法

1 鸡胸肉丁加入腌料抓匀。

2 秋刀鱼放入锅中两面煎黄，取出挑去鱼皮、鱼刺，将鱼肉压碎备用。

3 锅中加入油烧热，放入鸡丁炒熟，再入胡萝卜丁、青豆仁、鱼肉、玉米粒及白饭一起混合炒松，加入盐调味炒匀即可。

小贴士 秋刀鱼的腥味较重，小朋友大多不喜欢，将它煎香、压碎与米饭、鸡丁炒在一起，变身为美味可口的营养炒饭，让小朋友不知不觉地大口往嘴里送。也可替换为其他鱼类。

（2人份）

2 泰式酥炸鱼条

食材 白色鱼肉（鲷鱼）1/3片（约100克）。

粉浆材料： 脆酥粉3大匙，水3大匙。

腌料 米酒1大匙，盐1/2小匙，胡椒粉少许。

做法

1 鱼肉切成约大拇指的粗条，加入腌料腌约5分钟。

2 粉浆材料放入碗中拌匀，放入鱼条沾裹后，入170℃油锅，以大火炸至金黄色，捞出沥掉油分，再以纸巾把多余的油吸干。

3 可沾泰式酸甜酱或撒上海苔香松食用。

小贴士 白肉鱼的鱼腥味淡，裹上粉浆炸得香香酥酥，再沾上酸甜泰式酱料，就可以赢得宝贝的喜爱啰！

3 沙拉酱奶球 （1人份）

食材 虾仁5只。
粉浆材料： 脆酥粉2大匙，水2大匙。

调味料 沙拉酱1小匙，原味酸奶1小匙。

做法

1 虾仁挑除肠泥，洗净，背部划一刀纹，擦干水分。

2 粉浆材料放入碗中调匀；调味料放入小碗中混匀。

3 虾仁沾粉浆糊，放入170℃油锅中，以中火炸至金黄，沥干捞出，以纸巾吸去多余油分，挤上酸奶和沙拉酱即可。

小贴士 小朋友都爱酸酸甜甜的味道，酸奶、沙拉酱和虾球的搭配，正是打开小朋友胃口的理想选择。也可以加入菠萝或草莓等酸味较重的水果，既赏心悦目又有助开胃。

4 蚵仔酥 （2人份）

食材 蚵仔8粒。
炸粉材料： 粗地瓜粉2大匙，盐、胡椒粉各1/4小匙。

调味料 番茄酱少许。

做法

1 蚵仔挑去碎壳，洗净，先入滚水中汆烫约2秒去腥，立刻捞出沥干，擦干水分。

2 炸粉材料混合均匀。

3 取蚵仔分别沾上炸粉料，放入190℃高温的油锅中，以大火炸酥，沥干捞出，以纸巾吸去多余油分，沾番茄酱食用。

小贴士 蚵仔的营养丰富，但浓浓的腥味让小朋友大都会大喊：NO！如何烹调，让小朋友能够接受和喜欢是一大考验。不妨就让它变身成酥香的蚵仔酥吧。烹饪时蚵仔宜先汆烫去腥，再沾粉入大火油炸，才能外酥里嫩。

宝贝马上喜欢的肉类食谱

　　"肉肉好硬喔！"小朋友不喜欢吃肉的原因多半是因为料理后的肉质变老，咬起来好辛苦，所以聪明的妈妈们可以多多尝试利用肉馅来做各式的肉料理喔！

破解方法1：多利用肉馅做菜

　　肉馅和豆腐或马铃薯混合调味后，用虎口捏成一颗颗大小适中的小肉丸子或是做成可乐饼，小朋友吃起来既松软又入味，一口接一口。

破解方法2：油炸肉块

　　切成小块的肉块沾裹地瓜粉后，入锅油炸，炸出来的肉块鲜嫩多汁，正是小朋友喜欢的料理。

1 盐酥鸡块 （1人份）

食材 无骨鸡胸肉150克，地瓜粉2大匙。

腌料 酱油2大匙，糖1大匙，五香粉1/4小匙，胡椒盐1/2小匙。

做法

1 鸡胸肉切成小块状，加入腌料拌腌入味。

2 鸡肉块分别沾上地瓜粉，放置一下使之返潮，放入150℃油锅中，以中火炸到微黄，起锅前改大火炸至金黄，捞出沥干，以纸巾吸去多余油分。

3 撒上适量胡椒盐即可食用。

小贴士 鸡胸肉肉质较干，将干涩的鸡胸肉，变化成外酥里嫩、多汁美味的盐酥鸡，是大人小孩都抗拒不了的滋味。

2 糖醋肉 （2人份）

食材 小里脊肉75克，地瓜粉2大匙。

腌料 酱油1大匙，糖1/2小匙，五香粉1/4小匙。

调味料 番茄酱2大匙，糖1大匙，白醋1大匙，水3大匙，太白粉1/3小匙。

做法

1 小里脊肉切小条状，加入腌料拌匀。

2 取出小里脊肉，均匀沾上地瓜粉，放入150℃油锅中，以中火炸到微黄，起锅前改大火炸至金黄，捞出，沥干油分。

3 调味料（太白粉除外）放入锅中，以中火烧开，放入炸里脊块翻炒裹匀，以太白粉调水（太白粉：水＝1：3）勾薄芡，即可取出。

3 橙汁肉丸（3人份）

食材 肉馅150克，葱末、姜末各1/2小匙。

调味料 A料：盐1/3小匙，胡椒粉少许，香油1小匙，水2大匙，太白粉1小匙。

B料：柳橙汁60毫升，糖2大匙，白醋2大匙，番茄酱1大匙，太白粉1/2小匙。

做法

1 肉馅加入葱末、姜末及A料拌匀，即为肉丸馅。

2 锅中油烧至170℃，左手抓馅料，以虎口挤出小圆球入锅中，以中火炸至金黄色，沥干捞出，以纸巾吸去多余油分。

3 取另一小锅，倒入B料（太白粉除外）烧开，放入小肉丸烧烩一下，最后以太白粉调水（太白粉：水＝1：3）勾薄芡即可。

4 南瓜可乐饼（4人份）

食材 A料：南瓜150克，肉馅110克，洋葱末1大匙。

B料：面粉2大匙，蛋液1/2个，面包粉2大匙。

调味料 盐1/2小匙，胡椒粉少许，玄米油1小匙。

做法

1 南瓜去皮及籽，洗净，蒸熟压成泥状备用。

2 锅中加入油烧热，放入洋葱末炒香，再入肉馅炒熟，加盐、胡椒粉调味，再入南瓜泥拌匀放凉，即是馅料。

3 将馅料分成8等份，再揉圆、压扁，依序沾上面粉、蛋汁、面包粉，放入160℃的油锅中，以中火炸至金黄，起锅前改大火炸，捞出沥干，以纸巾吸去多余油分。

4 给小朋友吃时1个人至多给予2个，并可淋上番茄酱增添风味。

宝贝马上喜欢的蔬菜食谱

　　蔬菜向来是小朋友最讨厌的食物，因为总是有种苦苦涩涩的味道，也不太容易咀嚼，如果你家也有这样的孩子，请帮蔬菜换个造型，变成孩子接受的新料理吧！

破解方法1：加进面糊中做成蔬菜饼

　　将蔬菜切细丝，加入大阪烧和煎饼面糊中。因为面糊所占的比例较大，所以比较不容易察觉蔬菜的味道。

破解方法2：打成汁

　　将胡萝卜、南瓜、青豆等小朋友比较不爱的蔬菜打成汁，再加入其他材料和调味料做成浓汤，因为形状已经改变，可试着让小朋友喝喝看。

1 野菜天妇罗 (1人份)

食材　南瓜1小片，洋葱圈1个，四季豆1根，青椒1小片。

粉浆材料：脆酥粉2大匙，水4大匙。

蘸酱材料：日式酱油2大匙，白萝卜泥1小匙。

做法

1 将所有材料洗净；粉浆材料放入碗中调匀；蘸酱材料拌匀备用。

2 锅中油烧至170℃，将各材料分别沾上粉浆，放入油锅中以中火炸至酥黄，捞出沥干，以纸巾吸去多余油分。

3 蘸上蘸酱食用即可。

小贴士　提供另一种日本家庭中常见的野菜天妇罗的做法：取各类蔬菜，如胡萝卜、地瓜、青椒、香菇、泡水后的洋葱等食材，全部3切丝后，用粉浆混合做成圆形的面饼，再下锅油炸。

3 蔬菜麻煎饼 (3人份)

食材　胡萝卜丁、青豆仁、玉米粒各1大匙，糯米粉2大匙，太白粉2大匙，水60毫升。

小贴士　盐1/3小匙，胡椒粉少许。

做法

1 所有材料放入容器内混合，加入调味料充分拌匀，即为煎饼料。

2 平底锅以纸巾抹上少许油，取1大匙煎饼料，以小火煎至带透明的圆片，即可起锅。

3 全部做完约可煎9片，1个人取3片食用。

2 胡萝卜浓汤 (2人份)

食材　胡萝卜1小条，马铃薯1个，火腿丁2大匙，高汤500毫升。

做法

1 胡萝卜去皮，切小块；马铃薯去皮切块，和胡萝卜都放入高汤中煮至熟软，放凉后以食物料理机或果汁机打成糊状。

2 倒入小锅中，加入火腿丁煮开，放入盐调味，食用时可淋点鲜奶油或鲜奶。

小贴士　胡萝卜含丰富的维生素A、β-胡萝卜素，对孩子的视力及成长很有帮助，但胡萝卜独特的味道，有些小朋友不喜欢，可以花点巧思，变化成类似南瓜浓汤的样子，橙红的色泽，甜甜的滋味，让宝贝不知不觉地喝光光。

4 蔬菜大阪烧 (1人份)

食材　高丽菜丝1/2碗，豆芽菜10克，胡萝卜丝10克，蛋液1/2个，面粉2大匙，水3大匙，虾仁2只，透抽1片。

调味料　玄米油1大匙，盐1/3小匙，胡椒粉少许，沙拉酱1小匙，海苔粉1/3小匙。

做法

1 虾仁挑除肠泥，洗净；面粉、水、高丽菜丝、豆芽菜和胡萝卜丝混合，加入盐、胡椒粉充分拌匀成面糊。

2 平底锅加入油烧热，取做法1的面糊，以小火煎至凝固呈金黄，上头摆上虾仁、透抽，淋入蛋液，翻面，以小火续煎至蛋汁凝固，即可取出。

"宝贝生病了！怎么办？"

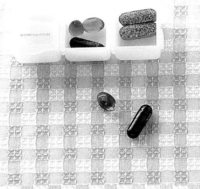

　　看着宝贝苍白、不舒服的小脸，每个父母的心都揪在一起，甚至希望代宝贝生这场病。

　　反过来想，生病是身体向外界发出警示信号的方式，反应宝贝生理的小毛病，让父母觉察到宝贝的身体状况是否出现问题，并紧急寻求治疗及改善方法。

　　本章列出10种幼儿园时期宝贝常患的病症，提供父母在生活和饮食上照料孩童的方法，使爸爸妈妈不再手忙脚乱，第一时间给宝贝最稳妥的安置和照料。

Part3

3～6岁宝贝生病期间
对症调理家庭餐

sick

药膳食谱：
守护宝贝健康的"免疫金牌"

在养育宝贝的过程中，家长除了教导宝贝远离危险的环境，养成良好的卫生习惯，同时还应注意营养的均衡摄入，提高宝贝自身免疫力，尤其在生病时注意起居和饮食上的关照，使宝贝能够平安健康地长大。

给宝贝最好的礼物——免疫力

免疫力是人体与生俱来的防御功能，当身体受到病原微生物的攻击时，免疫细胞就会产生抗体来清除微生物，保护身体健康。

想要宝贝拥有强大的免疫力，除了强健体魄，养成规律的生活作息，另一个重要的因素就是——营养。营养不良最容易导致免疫系统功能下降，免疫力一降低，抵抗力就下降，容易遭受病原微生物的感染。

幼儿园里小朋友多，环境中又充满了细菌、病毒，再加上季节转换、炎热或寒冷的气候、流行性感冒肆虐等，一不小心，宝贝就容易生病。最好的防病方法是让宝贝拥有绝佳的抵抗力，这样身体好，学习什么都快。聪明的父母一定要懂得善用食物中的优质营养素，帮助宝贝健康长大。

营养素	功 能	食 物
蛋白质	构成白血球和抗体的主要成分；人体生长、修复、运作的必需物质；平衡体内酸碱值等。	瘦肉、动物内脏、鱼、奶酪、奶类、蛋类、豆类、谷类、坚果类等。
维生素A	维持表皮及黏膜细胞健康，阻隔细菌及病毒；消灭坏细胞的自由基；促进骨骼生长；保护眼睛等。	动物内脏、蛋黄、牛奶、葡萄、番茄、菠菜、南瓜、杏桃、地瓜、青江菜等深绿色蔬菜或黄橘色蔬果。
维生素C	增强白血球活力，消灭细菌；增强胸腺及淋巴细胞的免疫力；维持结缔组织正常；促进伤口愈合等。	柑橘类水果、樱桃、芭乐、番茄、甜椒、花椰菜、甘蓝、高丽菜、菠菜。
维生素E	消灭坏细胞的自由基；保护细胞膜的完整；保护维生素A不受氧化；加强体内的免疫反应等。	植物性油脂、豌豆、青豆、马铃薯、玉米、洋葱、大头菜、韭菜、菠菜、糙米、胚芽、燕麦。
铁	运输养分供给身体战斗力；提供免疫系统中的原料；防止贫血；促进脑部发育等。	瘦牛肉、芝麻、海藻类、豆类、绿叶蔬菜、猪肝、牡蛎。
β-胡萝卜素	强大的抗氧化剂；降低心血管疾病；保护紫外线对免疫系统的破坏；保护眼睛等。	南瓜、青花菜、胡萝卜、地瓜、青椒、黄椒、红椒、番茄、玉米、木瓜、哈密瓜、芒果、西瓜等深绿色蔬菜或黄橘色蔬果。

注1：蔬菜和水果是宝贝生病时的最好选择，尤其像芭乐、苹果、葡萄、桑葚、柳橙、樱桃、木瓜、葡萄、草莓等，性味温和，不论热病或寒病都适用。

注2：从冰箱里取出来的水果，要回温后才可以给宝贝吃。

宝贝生病了吗

年纪小的孩子，往往不懂得如何用言语表达身上的不舒服，"哭"是最常见的表达方式。除了哭之外，家长们还能从哪些细节看出宝贝生何种病？

⊙**活力下降**：本来好动的宝贝，突然变得懒洋洋，反应缓慢。

⊙**食欲大幅下降**：不想吃东西，活动量也变少。

⊙**嗜睡**：平常不爱睡觉，却一整天昏昏沉沉。

⊙**腹泻**：突然肚子痛和拉肚子，或是大便有血和黏液。

⊙**皮肤出疹子**：淋巴处或全身出现疹子。

⊙**呼吸急促**：呼吸声变大或呼吸急促、喘不过气。

⊙**持续咳嗽**：咳嗽咳不停，或是流鼻水。

⊙**突然抽筋**：发烧或没有发烧时都要注意。

⊙**呕吐**：持续性呕吐，或是撞头之后呕吐。

宝贝生病时的饮食照料原则

⊙**清淡饮食**：宝贝生病时肠胃虚弱，不易消化的和刺激性的食物都应避免摄入，初期以流质、半流质食物为主。最好吃些具有热量及营养的米粥、骨汤，有助于肠胃休息，恢复体力。

⊙**少量多餐**：宝贝生病期间一来食欲减退，二来睡眠时间增多。进食量突然降低，家长们可采取少量多餐的方式，选择高营养价值的食物，如在粥里添加肉末、菜末、鸡蛋等，补充需要的营养。

⊙**补充水分**：宝贝拉肚子、发烧、流汗时，身体会大量流失水分，多喝水可以稀释痰液，减轻感冒症状，即使宝贝食欲不振，水分也始终不能少。

⊙**谢绝进补**：宝贝和大人在生理、病理等各方面都不一样，因此不能用成人的方法为宝贝进补。尤其是中药材和西药同时服用时，部分会产生不良作用，如当归与阿司匹林一起食用时，会增加出血的几率，因此父母若想给宝贝进补，需避开生病期间，更重要的是进补前务必要请中医师诊断宝贝的体质是否需要进补，以及询问进补的类型、方法和用量。

⊙**寻求专业帮助**：宝贝生病时，父母经常因为不知该如何选择药品而困扰。更重要的在于看对医师，使宝贝得到很好的医治。例如，西药在过敏性鼻炎、气喘、皮肤炎等病症急性发作时，对症的药方会得到较快的改善；至于想改善体质，则可以找中医师对宝贝的体质长期调理。

⊙**训练宝贝吞药丸或喝药水**：6岁前的宝贝还不太会吞药丸，父母会去医院买来中成药颗粒，但是这样做其实是有风险的：第一，不同中成药磨成粉末时，磨药机上多少会残留少许粉末；第二，药粉的称重方式和药丸不同，可能在分药时产生误差。最好的方法还是及早训练宝贝学会吞药丸，喝药水。宝贝在服药时，一定要有大人在旁边监督，在幼儿园时父母则应嘱咐老师代为监督。

对症食谱：
3~6岁宝贝常见病症的家庭调理药膳

感冒、发烧调理食谱

◆ 感冒的成因及表现

每到春末、秋末的季节转换期，感冒病毒就蠢蠢欲动。鉴于天气变化大，小朋友的抵抗力弱于成人，病毒很容易侵入体内。而体质较弱的小朋友一年中罹患感冒的次数甚至可达7~8次，最轻微的是普通感冒，多为咳嗽、流鼻水、咽喉痛、轻微发烧等症状。流行性感冒除上述症状，还有全身胀痛、发高烧，极容易引发肺炎、支气管炎及中耳炎等严重的并发症。

◆ 发烧的成因及护理

感冒通常伴随发烧。人体内正常温度是36.5℃~37.5℃，以37℃视为正常温度。一旦体内温度超过37.5℃，则称为发烧。一般来说，耳温或肛温在38℃以上，腋温或口温在37℃以上，可判定为发烧。

幼儿的发烧，一是来自于上呼吸道感染，也就是感冒；另一种则是下呼吸道感染，如气管炎、肺炎；另外，急性肠胃炎、泌尿道感染、玫瑰疹等，也会有发烧的情况。

医生建议，体温达到38.5℃以上，才可服用美林等儿童退烧药。退烧药的作用是使宝贝的高热体温降低，若宝贝的温度不太高，还是以日常照顾为主，减少服用药物。小儿发烧一般为3~5天，若超过5天发烧仍未退，则应尽快就医。

人的脑细胞能承受的最高温度为41.7℃，达到这一温度时，脑细胞的蛋白质会因高温而变质，造成不可恢复的损伤。通常疾病引发的高烧温度，都不会超过42℃，有些病症（如玫瑰疹）发烧至40℃为正常现象，轻微病毒感染也有可能烧至40℃，但都不会损伤脑部。只有脑炎、脑膜炎等并发症才会伤及智能或感官机能，而非一般人讲的发高烧会"把人烧笨了"。

※ 家庭护理课堂

指标	发烧温度（摄氏度）	量体温注意事项
耳温	38℃以上	耳温枪要放好才能测得正确温度。
口温	37.5℃以上	5岁以上的幼儿才可量口温，将体温计放置于舌下，嘴巴闭紧3分钟。
腋温	37℃以上	体温计夹在腋下4分钟以上才能测得正确温度。
肛温	38℃以上	体温计放在肛门内2.5厘米左右，时间2分钟。

注：使用温度计前，应将温度计内的水银甩至37℃以下。

◆ 发烧的饮食要点

⊙ 多补充水分，有助于发烧的宝贝发汗；水有调节体内温度的作用，能让高热的
  体温下降。

⊙ 饮食以高热量、流质食物为主，如骨汤、鸡汤、菜汤、稀粥等。

⊙ 多吃高蛋白质的食物，如皮蛋瘦肉粥、鸡茸粥、猪肝粥、鸡汤煨面等。

⊙ 选择易消化的食物。纤维含量过高、容易造成胀气的食物，如豆类、糯米类、
  高丽菜、花椰菜、马铃薯、芋头、地瓜等都要少吃。

⊙ 宝贝发烧时消化功能较弱，进食宜选择少食多餐的方式，每日进食6~7次，每
  餐间隔3小时以上。

粥类、骨汤、鸡汤、菜汤、番茄、洋葱、油菜、苋菜、菠菜、空心菜、葱白、姜、苹果、草莓、水、优酪乳。

辛辣食物、油腻食物、糯米、豆类、高丽菜、花椰菜、马铃薯、芋头、地瓜、鲜奶。

1 鸡汤煨面 (1人份)

食材 土鸡腿1只，细面条75克。

做法

1 鸡腿剁大块，放入滚水中汆烫，捞出洗净。

2 小锅中加水1000毫升，放入汆烫过的鸡肉，大火煮至水开后转小火，慢慢煨1个半小时至肉软烂、汤汁变浓郁，最后加盐调味。

3 取出鸡块，将表面油分捞除，加入面条，以小火煮熟后即可食用。

元气复原贴士

土鸡肉的蛋白质比肉鸡的含量高，脂肪含量却较少，另有丰富的维生素A，最适合感冒或病后虚弱的小朋友食用，能增强体力。本食谱取鸡肉熬成的汤汁精华来煨面，小朋友只要喝汤吃面就能同时获得体力和营养。

2 葱白防风粥 (1人份)

食材 白米1/4杯，葱白2段，防风1钱。

做法

1 葱白洗净，切小段，防风洗净。

2 白米洗净，加入水3杯（720毫升），和葱白、防风一起以小火熬煮约20分钟，至白米软糊，趁热食用。

元气复原贴士

葱的成分中含有硫化丙烯，研究证实能增强身体免疫机制。中医认为葱白具有发汗解热的功效，这是因为葱能刺激血液循环，所以能发汗排热，和防风一样，能改善受寒、发烧的症状。

3 姜汁蒸蛋 (1人份)

食材 蛋1个，姜汁1大匙，水1/2杯。

做法

1 蛋打散，加入姜汁、盐和水拌打均匀，以滤网过滤至小容器内。

2 蒸锅中的水加热，放入做法1的蛋汁，以中小火蒸约10分钟，至蛋汁凝固即可。

元气复原贴士

姜汁具有发汗、去寒、保温的效用，加上蛋白质丰富的鸡蛋做成软滑的蒸蛋，是生病时食欲不振的孩子恢复体力的最好餐点。

4 五行蔬菜粥 (2人份)

食材 糙米、薏仁各3大匙，山药1小段，胡萝卜1/4段，青豆2大匙，玉米2大匙，新鲜香菇1朵。

做法

1 山药及胡萝卜去皮洗净，均切丁；香菇洗净，去蒂切丁。

2 糙米及薏仁洗净，放入锅中，加水800毫升，以小火煮30分钟，再入山药丁、胡萝卜丁、玉米及香菇丁煮软，最后加入青豆煮片刻，入盐调味。

元气复原贴士

糙米含丰富纤维质，是防治感冒的补给品，熬成粥更方便消化。山药作为主食来源，不易引起胀气，且黏液蛋白还能促进消化，与含有β-胡萝卜素、可增强免疫力的胡萝卜，还有调节体质的薏仁、青豆同煮，营养十分均衡。

流鼻血调理食谱

◆ 流鼻血的成因及表现

人的鼻腔里，分布了许多微细的血管，尤其在又干又冷的环境里，鼻腔内过于干燥，加上鼻黏膜的水分快速蒸发，导致毛细血管壁的弹性变差，只要一受外力的刺激，就会导致血管破裂，继而流鼻血。

小朋友因为鼻黏膜比较脆弱，抠鼻屎太用力，或是玩耍时和其他小朋友碰撞，经常出现流鼻血的事情；宝贝睡觉起来发现枕头上有血，极有可能是因为睡觉时揉鼻子或者睡姿压迫鼻子造成，父母不用太担心。

另外一种引起流鼻血的原因是疾病，如急性鼻炎、慢性鼻炎、鼻窦炎等，或是流行性感冒、麻疹引起的发烧，造成凝血机制异常，或者缺乏维生素B_2、维生素C、维生素K而引起。此种情况下除了补充充足的维生素，更要寻求医生的帮助，找出病因，以便尽早治疗。

※家庭护理课堂

⊙ 流鼻血时把头往后仰的方式不仅落伍，还是错误的！
⊙ 流鼻血时的正确处理方式：
　①头部朝前直立，或者稍向前倾。
　②用拇指和食指压迫出血鼻侧的外部，按压5～10分钟，让宝贝用嘴巴呼吸，到时间后血多半能止住。
　③若出鼻血太多，可先用棉花或卫生纸塞住鼻孔，再照上述方式按压。
　④倘若出鼻血超过10分钟仍未止住，表示出血严重，可能有其他原因，应赶紧送往医院检查。

注：鼻血止住后，要提醒宝贝不能把鼻孔里的痂抠掉，以免再度流血。

◆ 流鼻血的饮食要点

⊙ 维生素C是胶原蛋白的主要成分，多吃含维生素C的食物，能让鼻腔内产生一种湿润的保护膜。维生素C无法由人体自行合成，只能从饮食中摄取，如芭乐、葡萄柚、奇异果、柳丁、甜椒、油菜、甘蓝、空心菜等。

⊙ 多吃含维生素B_2的食物，对皮肤黏膜有滋润作用。如全谷类、瘦肉、豆类、鲜奶、乳酪、动物内脏、绿色蔬菜等。

⊙ 维生素K能促进凝血，菠菜、胡萝卜、白菜、花椰菜等均可摄取。

⊙ 容易上火的食物，如羊肉、芥菜、韭菜、葱、姜、香菜、蒜、南瓜，以及辛辣的食物都应忌口。坚果类食物不可摄取过量。

⊙ 煎炸食品，如薯条、炸鸡等为热性食物，容易上火，是造成流鼻血的原因之一，应尽量少吃。

⊙ 茶、咖啡、杏仁、番茄、橘子、蓝莓、黄瓜、葡萄、葡萄干、桃等食物应尽量少吃。

 全谷类、瘦肉、动物内脏、豆类、菠菜、胡萝卜、白菜、花椰菜、甜椒、青椒、甘蓝、空心菜、油菜、莲藕、芭乐、葡萄柚、奇异果、柳丁、奶酪、牛奶、豆浆。

 煎炸食品、杏仁、番茄、黄瓜、羊肉、芥菜、韭菜、葱、姜、香菜、蒜、南瓜、蓝莓、葡萄、桃、葡萄干、咖啡、茶、巧克力。

1 豆浆粥（1人份）

食材 白饭1/4碗，豆浆180毫升。

做法 小锅中放入40毫升水与豆浆混合，煮滚后放入白饭，以小火煮10分钟即可。

元气复原贴士

豆浆含有丰富的优质蛋白质，且蛋白质含量比牛奶还多，故而有植物奶之称。豆浆含有维生素B族，对鼻腔黏膜有保持湿润的功效，能减少流鼻血的几率及改善经常流鼻血的情况。豆浆富含铁、钙，能改善缺铁性贫血，对孩子恢复体力有较大功效。

2 莲藕排骨汤（1人份）

食材 小排骨4两（150克），莲藕1小节（50克）。

做法

1 小排骨放入滚水中汆烫，取出洗净；莲藕去皮，切小块备用。

2 锅中加水800毫升煮滚，放入小排骨及莲藕，以中小火煮约40分钟，加盐调味即可。

小贴士 若用电饭锅煮时，外锅请加入2杯水，煮至开关跳起，约40分钟即可。

元气复原贴士

莲藕有止血收敛的功效，打成莲藕汁或直接食用，对于因暑气或是燥热而引起的流鼻血、口干舌燥、便秘等情况，都有很好的帮助。

3 藕粉糊（2人份）

食材 纯莲藕粉2大匙，红糖1大匙，冷开水3大匙，滚水1杯。

做法 藕粉、红糖与冷开水先拌匀，置于大杯中，冲入滚烫热水，快速搅拌成糊状即可。

4 糙米坚果粥（1人份）

食材 糙米1/4杯，松子仁、核桃碎、南瓜籽各1小匙。

做法 糙米洗净，入锅中加水800毫升，以小火熬煮30分钟，再加坚果煮10分钟，加盐调味即可。

〖元气复原贴士〗

制成粉状的莲藕粉具有使用方便以及好消化的特点，能治流鼻血、瘀血、嘴巴出血等症状。冲泡时要先用冷水调匀，一开始就用热水的话，容易结成硬块搅不散。

〖元气复原贴士〗

坚果中含有丰富的维生素B_2，能湿润鼻腔内黏膜，降低流鼻血机会，但坚果为高热量、高油食物，不可吃太多，否则更容易流鼻血。

咳嗽调理食谱

◆ 咳嗽的成因及表现

每当听到宝贝的咳嗽声，爸爸妈妈无不紧绷神经，心说："宝贝是不是感冒了？"

从生理学上看，咳嗽是正常的生理防御反应。人的呼吸器官有很多咳嗽刺激接受器，当收到刺激时，就会产生咳嗽。孩童突如其来的咳嗽，多半是呼吸道中有黏液，只需清除掉即可，父母不必太担心。

引起咳嗽的原因超过100多种，但孩童常见的咳嗽多为呼吸系统疾病引起，如感冒、咽喉炎、支气管炎、肺炎等。咳嗽经过治疗后，大约1～10天就可以治愈，若是久咳超过2周以上仍未好转，则可能是以下三种原因：

★ 气喘：在幼儿阶段容易发作，尤其在季节交替、感冒、花粉过敏、动物毛发过敏等情况下咳得特别厉害。

★ 过敏体质：如果不是气喘病灶，感冒痊愈后仍然久咳不止，呼吸道特别脆弱，可至医院测试过敏原，预防过敏。

★ 鼻液逆流：由过敏性、非过敏性鼻炎，或是鼻窦炎引起，感觉喉咙有异物，常常要清喉咙，因而经常咳嗽。

如有上述原因，父母应带孩子尽速就医，尤其是气喘，愈拖愈不容易好，趁早治疗，治愈率可达七成。

※家庭护理课堂

如何通过宝贝的咳嗽声辨别病症来源

- ⊙ 普通感冒：咳嗽时有痰的声音，没有急促的呼吸声，会咳上一整天。
- ⊙ 流行性感冒：由喉咙深处发出，有点干干的嘶哑声，隔一段时间会咳一下，时而干咳，时而带痰。
- ⊙ 支气管炎：咳嗽时有痰，也有喘气声，有时还会呼吸困难。
- ⊙ 气喘：咳嗽伴有喘息声，久咳达10天以上，晚上或运动后情况加重。

如何协助宝贝吐痰

　　6岁以前的小朋友，脑部和肌肉还没有发育成熟，不会自己把痰咳出来。家长可以让宝贝趴在自己的腿上，脸朝下，屁股抬高高于头部；单手手掌弓起来呈杯状，拍打宝贝背部的肋骨两侧，力度不能太轻，否则没有效果，拍打5分钟左右即可。拍完后让宝贝咳嗽时喝水，以便排痰。

◆ 咳嗽的饮食要点

- ⊙ 水果的果酸容易刺激喉咙引起咳嗽，如苹果、橘子、芒果、葡萄、香蕉、菠萝等，都要少吃。
- ⊙ 口味太重（酸、辣、咸）的食物，都应避免食用。
- ⊙ 咳嗽时容易造成呼吸道黏膜缺水，应注意水分的补充。
- ⊙ 太甜的食物容易生痰，引起喉咙不适，引发连串的咳嗽，如巧克力、糖果、蛋糕等甜食。
- ⊙ 避免吃颗粒小的食物，如花生、青豆仁，以免宝贝咳嗽时噎到。

 肉末粥、菜汤、鸡汤、骨汤、细面、鸡蛋、蔬菜、罗汉果、百合杏、热奶、热优酪乳。

 苹果、橘子、芒果、葡萄、香蕉、菠萝、颗粒小的食物、巧克力、糖果、蛋糕、冷饮。

1 罗汉果热饮 (1人份)

食材　罗汉果1颗，柠檬原汁1大匙。

做法

1 罗汉果敲碎，放入锅中加水400毫升，以小火熬煮10分钟。

2 滤出汤汁，滴入柠檬汁，趁热饮用。

元气复原贴士

罗汉果具有生津止渴、滋润喉咙、化痰止咳的功效，一直被广泛运用在慢性气管炎、咽喉炎、急性扁桃腺炎等症，罗汉果带有淡淡的清香甘甜味，特别适合作为饮品。柠檬含有维生素C，热热喝能降低酸味刺激，若还怕酸的话，可以加一点点蜂蜜中和。

2 百合杏仁粥 (2人份)

食材　白米1/4杯，干百合1大匙，杏仁1大匙。

调味料　冰糖适量。

做法

1 干百合泡水涨大，备用。

2 锅中加入清水3杯，放入白米、百合及杏仁煮开后，搅拌一下，改小火熬煮40分钟，加入冰糖煮溶即可。

元气复原贴士

百合润肺，中医将百合用于慢性肺部疾病或是支气管炎的患者，主治燥咳或是久咳不愈的人；杏仁则有止咳平喘的效果。所谓的燥咳多发生在冬季时，喉咙觉得又干又痒，咳起来特别剧烈，怎么喝水都还是觉得渴，可以多吃点百合、杏仁来舒缓咳嗽。

3 柚子萝卜蜜（1人份）

食材 白萝卜1/4条（约150克），新鲜或干的柚子皮20克，蜂蜜2大匙，冷开水180毫升。

做法 白萝卜去皮，切小丁，和切小丁的柚子皮，放入调理机中，加入冷开水及蜂蜜，搅打1分钟即可。

元气复原贴士

　　白萝卜对于咳嗽带有黄痰或是黏痰的小朋友，具有清热、解毒及止咳的功效。同时，常被我们忽略的柚子皮，在中医上是专门止咳、化痰的好药材。

4 金桔茶（1人份）

食材 金桔3~5个，热开水180毫升。

做法 金桔去皮后捣成糊状，过滤后放入杯中，冲入热开水，以汤匙拌匀即可。

元气复原贴士

　　酸甜的金桔，含有维生素A及维生素C，是常见的止咳化痰食材之一。新鲜金桔果皮甜美，但含有果酸，易引起咳嗽，制成金桔酱的金桔酸度降低，也保留了维生素C最多的金桔皮，在冲泡热水后，降低其生冷性，适合作为小朋友的祛咳饮料。

消化不良、胀气调理食谱

◆ 消化不良、胀气的成因及表现

婴儿出生时，肚子都是鼓鼓的，这是因为宝贝的身体小，腹壁肌肉尚未发育完全，却要容纳和成人一样多的器官。这种鼓胀显然不是胀气。

胀气的"气"，主要是来自肠胃中的气体，是嘴巴吞下的气体和食物在肠胃消化时产生的气体。一旦肠胃中的气体过多，就会经由打嗝、放屁排出，若气体久未排出，累积在肠胃内，就会形成"胀气"。幼儿出现胀气的原因，不外乎以下几种：

★ **不良的用餐习惯**：吃东西太快、边吃边说话，或是未好好咀嚼就吞咽下去，容易造成肚子胀气。

★ **吃太多胀气的食物**：人体内由于缺乏某种寡糖及多糖类碳水化合物的消化酵素，导致吃太多豆类、地瓜、马铃薯等食物时不易被小肠吸收，而是进入大肠才被分解，产生较多气体。

★ **鼻子过敏**：鼻子过敏的宝贝，常用嘴巴呼吸，空气容易跑进消化道内，产生胀气。

★ **乳糖不耐症**：乳糖不耐症的宝贝，缺乏消化乳糖的乳糖酶，一吃含奶的食物，就会引发胀气，或是拉肚子。

★ **肠胃道疾病**：患有肠套叠、肠胃炎的幼儿，容易累积肠胃内的气体，引发胀气；便秘也会让食物在肠胃中停留时间变久，造成胀气。

家长发现宝贝有胀气的表现，观察宝贝的日常作息和饮食后，多半能发现原因。若胀气情形持续3日以上，就要寻求医生的帮助。

◆ 消化不良、胀气的饮食要点

⊙ 山楂、陈皮可直接食用；干薄荷叶可泡水饮用，三者皆可舒缓胀气。

⊙ 从饮料下手，多喝果醋、紫苏梅汁，其丰富的有机酸能加速新陈代谢，帮助消化，减少胀气。

⊙ 多喝酸奶、优酪乳，增加肠内益生菌，促进肠道蠕动，帮助消化，减少胀气。

⊙ 料理时加少许香辛料刺激消化液分泌和肠道蠕动，以排出气体，如姜、大蒜、八角。

⊙ 主食中易产生"气"的食物，如地瓜、芋头、马铃薯、玉米、糯米、全麦面包，都要少吃。

⊙ 豆类的外壳容易造成胀气。像红豆、绿豆、黑豆，泡水久一点，再煮至软烂，都能降低产生胀气的机会。

⊙ 碱性食物中的芝麻、牛蒡能中和胃酸，大量粗纤维（非水溶性纤维）则有助消化；此外黑芝麻中的叶酸，牛蒡里的菊糖、牛蒡糖等糖类，都能改善胀气，预防肠胃疾病。

⊙ 水果中的木瓜、菠萝能分解蛋白质，有助消化，预防胀气。

⊙ 蔬菜中纤维量较高的花椰菜、菠菜、高丽菜、大头菜等，含有大量水溶性纤维。水溶性纤维被分解后产生醋酸、乳酸，不易被分解，已胀气的人应少吃。

⊙ 鲜奶与可乐等碳酸饮料，都会引起胀气。

⊙ 少吃油炸、油腻等含有大量脂肪的食物，因为脂肪会延长食物的消化时间。

⊙ 食物停留在肠胃的时间愈久，气体也产生愈多，更容易胀气。

 芝麻、牛蒡、姜、大蒜、木瓜、菠萝、八角、山楂、陈皮、干薄荷叶、橄榄、优酪乳、酸奶、果醋、紫苏梅汁。

 油炸食品、油腻食品、糯米、豆类、马铃薯、地瓜、菠菜、高丽菜、大头菜、苹果、鲜奶、碳酸饮料。

1 橄榄鸡肉粥 (2人份)

食材 白米1/4杯,鸡肉丁2大匙,咸橄榄1颗,芹菜末1小匙。

做法 白米洗净,放入锅中,加入水700毫升煮沸,放入鸡肉丁、咸橄榄,以小火熬煮30分钟,加盐调味,撒上芹菜末即可。

小贴士 小朋友吃时请爸妈先把橄榄籽去掉,再给孩子食用。

2 陈皮瘦肉粥 (2人份)

食材 白米1/4杯,小里脊肉75克,陈皮1片。

做法

1 白米洗净;小里脊肉切小丁;陈皮略洗,切丝备用。

2 小锅中加水700毫升,放入白米、小里脊肉及陈皮,以小火熬煮30分钟,加盐调味即可。

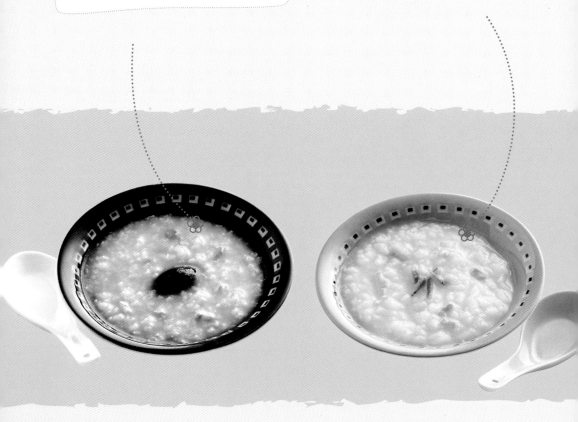

3 菠萝优酪乳（1人份）

食材 菠萝100克，酸奶180毫升。

做法 菠萝切小片，和酸奶一起放入果汁机中打成汁即可。

元气复原贴士

　　菠萝含有菠萝酵素，能刺激肠胃蠕动、帮助消化的功用，再加入能改变肠道菌丛生态的酸奶双管齐下，消化系统一路顺畅无阻。

4 紫苏梅汁（1人份）

食材 紫苏梅汁2大匙，蜂蜜1大匙，热开水180毫升。

做法 所有材料放入杯中搅拌均匀即可。

元气复原贴士

　　紫苏梅中含有柠檬酸，能促进肠胃蠕动，消除胀气。加上酸甜的口感本就能刺激唾液分泌，有帮助吞咽食物及润滑的功效，可减轻胃肠负担。

呕吐调理食谱

◆ 呕吐的成因及表现

呕吐是指人吐出胃内异物的生理反应。幼儿发生呕吐的情况不外乎两种：一是由于消化系统尚未发育完全；二是疾病所引发。父母不妨从幼儿呕吐的表现、呕吐物来找出呕吐的原因。

★ **从呕吐物观察**：若呕吐物为鲜奶等单纯的食物，呕吐方式可能为饮食方式不当、吃得太多、刚吃完就玩，或是幽门痉挛（胃下方幽门处的括约肌痉挛）所致；若呕吐物有胆汁，可能是小肠狭窄所致；若呕吐物有粪便的味道，则可能是大肠方面的疾病。

★ **疾病所引起的呕吐**：除呕吐外，还会伴随其他症状。若有发烧、胀痛的情况，可能是急性肠胃炎、阑尾炎；若有头痛，可能是脑膜炎；若有便秘情形，可能是肠梗阻。除了生理上的疾病，心理上的亢奋、害怕、疲累，也会造成幼儿呕吐。

尽管宝贝呕吐常常会使父母吓出一身汗来，但是呕吐也能清除肠胃道里积存的东西，同时排除细菌、毒物，是人体自我防御的一种方法；呕吐也能降低腹腔压力，促进肠胃蠕动代谢，是减轻病情的好方法。一旦宝贝呕吐，最好让他吐完，清空肠胃，而不是一味止吐。

若宝贝持续呕吐不止，其中必隐藏着潜伏性的疾病，家长应带孩子迅速就医。

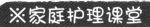

※家庭护理课堂

宝贝呕吐时，父母应如何处理？

- ⊙ 让宝贝趴在自己的膝盖上，脸朝下，轻拍背部，吐在脸盆或塑料袋里。
- ⊙ 宝贝若在睡觉时想吐，可将脸侧向一边吐。
- ⊙ 宝贝想吐却吐不出来时，可用手指按压宝贝的舌根催吐。

注：宝贝呕吐完后，应让其漱口，更换和清洗衣物及床单，以免气味引起宝贝继续呕吐。

◆ 呕吐时的饮食要点

- ⊙ 宝贝刚吐完后口干，不能马上喝水，以免胃又胀起来，引发下一波呕吐。最好先禁食4个小时，待情况缓和后再吃点流质的东西，慢慢恢复。
- ⊙ 宝贝呕吐完后身体的电解质会消失，待情况缓和后，要补充有营养的流质食物，像水、电解质水、蛋花汤、鸡汤、骨汤、菜汤等。
- ⊙ 当宝贝不再呕吐后，可以吃半流质食物，如肉末粥、汤面等。
- ⊙ 忌口味太重，如甜、辣、酸的食物。
- ⊙ 韭菜、酸奶等刺激性或有特殊味道的食物，应减少食用。
- ⊙ 生冷食物，如水果、冷饮等应避免食用。食材料理需煮至全熟才可食用。
- ⊙ 不易消化的食物，如糯米类制品、豆类、地瓜、马铃薯，或是粗纤维蔬菜（四季豆、豌豆等）要少吃。

稀饭、肉末粥、汤面、蛋花汤、鸡汤、骨汤、苏打饼干、水。

重口味食物、奶制品、糯米制品、韭菜、豆类、地瓜、马铃薯、菠菜、四季豆、豌豆、水果、冷饮。

1 鲜鱼豆腐汤 (2人份)

食材 新鲜鱼肉（鲷鱼）100克，豆腐1/4方块，油菜少许。

调味料 盐、胡椒粉各少许。

做法

1 鱼肉洗净，切大丁；豆腐洗净，切丁；油菜洗净，切段。

2 锅中加水600毫升煮沸，放入鱼肉、豆腐煮10分钟，再加入油菜煮1分钟，加盐、胡椒粉调味即可。

元气复原贴士

黄豆及豆制品富含维生素A，维生素A能促进胃肠黏膜的健康，预防胃炎发生、强健胃部，对呕吐也有改善的作用。

2 神仙粥 (2人份)

食材 小米1/4杯，玉米碎2大匙，姜片4片，葱须2根。

做法 小米、玉米碎洗净，放入锅中，加入水800毫升煮沸，放入姜片、葱须，以小火熬煮20分钟即可。

小贴士 熬煮途中要不时搅拌一下，以免锅底焦糊。

元气复原贴士

民间流传的神仙粥，主要含有葱及姜两种祛寒、散热的食材，因此对于受寒而引起的感冒所产生的反胃、呕吐，具有改善的效果。

③ 青菜蛋花汤（1人份）

食 材 油菜2棵，蛋1个。

调味料 盐少许，香油1滴。

做 法

1 油菜洗净，切0.5厘米小段；蛋打散备用。

2 锅中加水400毫升煮开，放入油菜煮软，倒入蛋液做成蛋花，至凝固时，加入调味料拌匀即可。

元气复原贴士

呕吐后肠胃虚弱，利用汤品补充水分及电解质，再加上蛋花和青菜煮成的青菜蛋花汤，还能补充身体所需的蛋白质及维生素、矿物质。

④ 甘蔗姜汁（1人份）

食 材 甘蔗汁180毫升，姜汁1小匙。

做 法 甘蔗汁放入小锅中加热，加入姜汁拌匀即可。

元气复原贴士

中医认为甘蔗性寒，有滋补润燥的功能，对反胃呕吐有很好的改善效果，因其性寒，所以加上可发热的姜汁调节，且姜汁亦有止呕的效用，两者结合，是民间常见的止呕良方。

拉肚子调理食谱

◆ 拉肚子的成因及表现

人吃进食物的营养主要由小肠吸收，食物渣滓到大肠后，大肠会吸收水分，形成半固体的粪便排出体外。若整个环节的中间过程出现问题，就很可能造成腹泻。

腹泻是指宝贝大便次数增加，且粪便呈水便状，一天排便超过3次。造成幼儿腹泻的原因，除了病毒型、细菌型急性胃肠炎，还有以下一些原因。

★ **饮食不干净**：腹泻多半是由于吃进不干净的食物引起。环境的污染、不干净的水、未煮熟的食物、脏手摸食物吃等等，都可能造成腹泻，通常在1~3天后会痊愈。

★ **寄生虫引起**：寄生虫或抗生素药物容易引起腹泻症状，通常只要杀死寄生虫及停止服用抗生素药物，腹泻即停止。

★ **小肠失调**：经常发生的腹泻，很可能和小肠功能失调有关，如乳糖不耐症、乳糜泻、肠燥症等。

腹泻一般会自然消失，无需特别服用药物，若需减缓腹泻也可请医师开药。腹泻能清空肠胃、把体内废物排干净，最好让宝贝的自体免疫力进行调节。

◆ 拉肚子时的饮食要点

⊙ 蜂蜜具有润燥滑肠的功效，腹泻的宝贝喝了可能加重腹泻，因此忌蜂蜜泡水饮用。

⊙ 在宝贝清肠道的4小时内不宜进食，待情况改善后，再让宝贝进食流质食物。循序渐进，再给予半流质食物，以便慢慢恢复日常饮食。

⊙ 多补充水分、电解质补充液，但一次的量不宜过多。

⊙ 若是喝下流质食物没有腹泻，可进一步补充半流质的清淡食物（少盐、少油、少糖），例如粥、吐司、面包、面条等。

⊙ 避免食用鲜奶、乳制品，或含有纤维素的蔬菜和水果。

⊙ 忌生冷食物，食物都要煮熟、煮软后再食用。

⊙ 避免饮用含咖啡因的饮料，如咖啡、茶等，以免加重腹泻。

 稀饭、米粥、骨汤、鸡汤、细面条、吐司、面包、栗子、白果、山药、水。 ✓

 生冷食物、蜂蜜、蔬菜、水果、鲜奶、咖啡、茶。 ✗

133

1 清粥（2人份）

食 材 白米1/4杯。

调味料 盐少许。

做 法 白米洗净，放入锅中，加水700毫升煮沸后，改中小火熬煮30分钟成软烂的稀粥，食用时加少许盐拌匀。

元气复原贴士

腹泻时，清粥是最好的选择。其中加入少许盐，可以补充拉肚子时流失的电解质。

2 栗子粳米粥（2人份）

食 材 干栗子4颗，糙米（粳米）1/4杯。

做 法

1 栗子泡涨，挑去硬膜；糙米洗净。

2 小锅中加水800毫升煮沸，加入糙米和栗子，改小火熬煮40分钟即可。

小贴士 如用新鲜栗子，会更加鲜甜。

元气复原贴士

粳米即糙米，有高纤低脂的特点，对肠胃有保护的作用，加入温补的栗子煮粥，适合常拉肚子、手脚冰冷的孩子长期食用。食用时要熬成粥才有益于消化，腹泻初期也可以只给糙米汤喝，以免又拉肚子。

3 紫山药白果粥（1人份）

 食 材 白米1/4杯，白果4粒，紫山药100克。

做 法

1 白米及白果分别洗净；紫山药去皮，切小丁备用。

2 小锅中加水700毫升煮沸，放入白米后改小火熬煮20分钟，再加入白果、紫山药续煮10分钟即可。

元气复原贴士

中医认为白果具有收敛的效果，山药则含有黏液蛋白，能止泻，对拉肚子的小朋友都是很好的食材选择。

4 燕麦雪花粥（2人份）

食 材 麦角1/4杯，蛋白1个。

调味料 盐少许。

做 法

1 麦角洗净，放入小锅中，加水600毫升煮沸，改中小火熬煮20分钟，加入盐调味。

2 蛋白放入干净的打蛋盆中，以打蛋器打至起泡呈现尖峰状。

3 将煮软的麦角粥，滚烫地冲入蛋白中，快速搅拌均匀即可。

元气复原贴士

麦角可补充淀粉、热量，供给身体能量、恢复体力；蛋白则含有较多蛋白质，有助于改善孩子病后虚弱的情况。

急性肠胃炎调理食谱

◆ 急性肠胃炎的成因及表现

急性肠胃炎是幼儿的最常见疾病之一，其症状是上吐下泻，或者只呕吐、只拉肚子，伴随发烧、胀气、感冒等症状。根据感染的原因，急性肠胃炎可分为以下两种。

★ **病毒型急性肠胃炎**：呕吐、拉肚子、发烧、食欲差、疲累等症状；传染性极强，家中若有人感染很容易传染给小朋友。症状一般持续3~7天。

★ **细菌型急性肠胃炎**：大肠杆菌、沙门氏菌等细菌所引起，主要是饮食受污染引起，伴随腹痛、发烧、拉肚子、大便带血等症状。一般5~10天可以痊愈。细菌性肠胃炎容易出现全身抽筋、肠胃出血、肠穿孔，甚至腹膜炎等严重的并发症。

急性肠胃炎会造成宝贝上吐下泻，宝贝易大量流失体内水分及电解质，家长应首先注意水分的摄入及电解质的补充，避免宝贝出现脱水。

宝贝患急性肠胃炎时，应进食流质食物，吃少量半流质食物。若宝贝就医后上吐下泻的情况仍没有改善，仍有剧烈腹痛、腹胀的情况，可能还有并发症，应立即复查就诊。

※家庭护理课堂

什么是电解质？

⊙ 电解质能分解成离子，包括钠、钾、氟等，具有维持体内水分及酸碱平衡的功能。如果宝贝体内的酸碱不平衡，会产生呕吐、腹泻、痉挛等现象。

如何给宝贝补充电解质？

⊙ 以市售的电解补充液为最佳，内含电解质及补充热量的葡萄糖。运动型饮料含糖高、电解质含量低，可加水稀释后作为替代物给宝贝饮用。若是宝贝吃了东西不吐，就可以不必饮用电解质补充液；倘若吃了东西就吐，在未来的24~48小时还应以电解质补充液为主；若喝电解质补充液都吐，只能是打点滴了。

◆ 急性肠胃炎的饮食要点

⊙ 蜂蜜具有润燥滑肠的功效，有利泻下，急性肠胃炎或腹泻的幼儿忌饮蜂蜜水。

⊙ 伴随呕吐现象时，应在未来4~6小时暂时停止进食，待情况改善后，再让宝贝进食流质食物。循序渐进，再给予半流质食物，慢慢恢复日常饮食。

⊙ 多喝水补充流失的水分，但一次的量不宜超过300毫升；电解质可购买市售产品。

⊙ 饮食以清淡不油腻为原则，多吃肉末粥、汤面、骨汤、菜汤等有营养的半流质食物。

⊙ 避免吃高纤维食物，如蔬菜、水果、全谷类等；含有乳糖的鲜奶也要忌口。

⊙ 忌吃辛辣、生冷的食物，食材应煮至熟透，不能生食。

⊙ 鉴于宝贝肠胃功能虚弱，应采取少量多餐的方式，每餐间隔在3小时以上。

 肉末粥、麦片、汤面、骨汤、鸡汤、菜汤、无花果、苏打饼干、水。

 辛辣食物、生冷食物、油腻食物、不易消化食物、蜂蜜、全谷类、蔬菜、水果、鲜奶、咖啡、茶。

1 麦片肉末粥 (1人份)

（食材） 麦片1/4杯，瘦肉馅75克。

（调味料） 盐少许。

（做法） 小锅中加水400毫升煮滚，放入麦片及肉馅，以小火熬煮20分钟，加盐调味即可。

元气复原贴士

肠胃炎初期，家长只需给予孩子足够的水分即可，待病情趋缓，可给予麦片粥、吐司等较清淡的食物。麦片拥有较高B族维生素的营养价值，能提供身体能量、增强体力，并活化肝脏解毒功能，给孩子更多的抵抗力。

2 青菜豆腐粥 (1人份)

（食材） 白饭1/4碗，菠菜1棵，豆腐1/4方块。

（调味料） 盐少许。

（做法）

1 菠菜洗净，切0.5厘米小段；豆腐洗净，切丁备用。

2 小锅中加水300毫升煮滚，放入白饭，以小火煮10分钟，加入菠菜末、豆腐丁续煮2分钟，加盐调味。

元气复原贴士

肠胃炎时无法喝鲜奶，可用营养价值相似的豆腐替代，补充蛋白质及钙。加工后的豆腐，其中的蛋白质分子结构产生变化，改善了豆类消化不易以及营养不易被吸收的缺点，配上适量的青菜，能发挥均衡营养的作用。

3 无花果山药鸡汤 (1人份)

食材 鸡肉100克(去皮)，山药75克，无花果3粒，红枣4粒。

调味料 盐少许。

做法

1 鸡肉切小块，放入滚水中余烫，捞出，洗净；山药去皮，切丁；无花果略洗，剥开。

2 锅中加水600毫升煮滚，放入鸡肉、红枣、山药及无花果，以小火熬煮20分钟，加盐调味即可。

元气复原贴士

患肠胃炎的宝贝需要多补充水分，鸡汤里含有高蛋白，是补充体力的最好来源，喝时要沥去汤上油脂，盐用量降到最低。患病初期的小朋友，也可以只喝汤，不吃鸡肉；无花果含有蛋白酶等酶类，可保护肠胃，有利肠胃炎症状趋缓。

4 番茄木瓜汁 (1人份)

食材 木瓜150克，小番茄10颗，冷开水160毫升。

做法 木瓜去皮切块；小番茄洗净去蒂，全部材料放入果汁机中打成汁即可。

元气复原贴士

急性肠胃发炎的人，可在症状缓和后，将番茄打汁生饮。番茄所含大量维生素C具有消炎的效用，其水果酵素也能改善肠胃功能；而木瓜中的木瓜酵素，也有辅助治疗肠胃不适的效果。

尿床调理食谱

◆ 尿床的成因及表现

尿床也称遗尿，指3岁以上的小朋友，晚上睡觉时无法控制排尿，造成小便失禁的情况。尿床在幼儿时期是经常发生的，多数小朋友都属于偶发性，也有持续数月晚上尿床的情形，或是每隔一阵子才发作。家长若轻视这一问题，宝贝有可能反复发作，直到性成熟才停止。

宝贝3岁以前膀胱容量小，每天尿10~20次都是正常的。3岁以后，宝贝的体内各器官都发育成熟。若有尿床的情况，大多是因为宝贝睡得太沉，或是中枢神经系统未能及时传达和控制膀胱的收缩能力，宝贝睡觉后膀胱鼓鼓的，一不小心就失禁了。这种情况并不属于什么疾病，父母只要多加注意和训练宝贝，假以时日，就能减少尿床次数。

造成宝贝尿床的生理原因有很多，如大脑神经成熟较慢，造成膀胱控制力减弱。除此之外还有尿路畸形、尿路感染、神经性膀胱、尿崩症等。尿床的情况，轻微的一夜一次，严重者可能一夜数次，白天或是在幼儿园午睡时也可能发生。

除去生理上的尿床原因，心理上的因素也不可忽视。有些小朋友因为害怕一个人去厕所，就憋尿到尿床；或是觉得爸爸妈妈不关心自己，故意引起大人注意等。

长期尿床的小朋友不仅容易自卑，也会影响智力和身体发育。若家中有尿床儿，父母应体贴宝贝，以关爱取代责骂，找出原因，彻底根治。

◆ 尿床的饮食要点

⊙ 平时多吃一些有助泌尿系统发育成熟的食材，如构成器官原料的蛋白质食物——鲜奶、鸡蛋、鱼、虾、瘦肉、豆类及豆制品，以及含丰富维生素及矿物质的新鲜蔬果。

⊙ 可选择缩泉补肾、防止遗尿和尿频的食材，如银杏、山药、红枣、桂圆、莲子、芡实、核桃等。

⊙ 晚餐不要吃得太晚，睡前不要吃宵夜和喝水。

⊙ 晚餐以清淡为主，不要过咸、油腻，要控制汤品、鲜奶、饮料的摄取量；水分太多的水果，如西瓜、柑橘类水果（如柳橙、橘子、葡萄柚、柠檬等），会刺激膀胱，应避免在晚餐时食用。

⊙ 晚上不能喝碳酸饮料，或是含咖啡因成分的饮料，这些都会刺激膀胱，引发尿床。

鸡蛋、鱼、虾、瘦肉、豆类及豆制品、白果、山药、红枣、桂圆、莲子、芡实、核桃、鲜奶。

睡前别喝太多水及食用水分较多的食物、西瓜、柳橙、橘子、葡萄柚、柠檬、果汁、碳酸饮料、茶、咖啡。

1 猪肚莲子芡实汤 (4人份)

食材 猪小肚2个，莲子1/3杯，芡实3大匙。

调味料 盐1小匙。

做法

1 猪小肚翻面，以面粉及盐抓洗多次去除腥味，至没有黏液后，洗净，放入滚水中汆烫，沥干捞出。

2 猪小肚切小片，与莲子、芡实放入锅中，加水1000毫升煮滚，改小火炖煮50~60分钟至软烂，加盐调味。

3 大人要吃时，起锅前可滴点米酒调味。

元气复原贴士

　　猪小肚即是猪的膀胱，和健脾补肾的芡实及莲子一起食用，对晚上遗尿但量少，且容易疲劳、食欲不好的小朋友，能对症脾肺气虚的情形，减少尿床的几率。

2 枸杞白果粥 (2人份)

食材 白米1/4杯，白果4粒，枸杞1小匙，山药1小段（75克）。

做法

1 白米洗净；山药去皮，切小丁。

2 小锅中放入白米，加水700毫升煮滚，加入白果、枸杞、山药，以小火煮30分钟即可。

元气复原贴士

　　从中医来看，尿床多是因为小朋友的五脏六腑未发育完全，特别是肾和膀胱的正常生理功能尚未成熟造成。中医建议多多食用白果，能促进泌尿系统发育，减少遗尿。

3 糖蜜心太软 (1人份)

食材 红枣10粒，糯米粉3大匙，蜂蜜1大匙。

做法

1 红枣略洗，划一刀口，取出籽备用。

2 糯米粉放入小碗中，加入3大匙冷水，拌揉至耳垂软度的团状，搓长条，分切10小块。

3 团米块捏成小片，镶入红枣内，放入滚水中煮熟，捞出，沥干水分，食用时淋上蜂蜜即可。

元气复原贴士

红枣带有淡淡甜味，具有补肾气的功用，多多食用，可以帮助体质虚且夜间遗尿的孩子温补身体、减少尿床次数。心太软亦可加入红糖煮成甜汤，别有风味。

4 红曲桂圆米糕 (4人份)

食材 圆糯米300克，红曲米1大匙，桂圆肉3大匙，砂糖1/2碗。

做法

1 糯米洗净，放入红曲米拌匀，加水315毫升，放入电饭锅中，外锅加1杯水，煮至开关跳起后，再焖5分钟。

2 桂圆肉略洗，与砂糖一起放入红曲米饭中趁热拌匀，电饭锅外锅再加1大匙水，按下开关煮至跳起即可。

元气复原贴士

糯米性味温和，有滋补脾胃的作用，能养气、御寒，搭配有健脾补肾作用的桂圆肉，亦能补气血及改善虚寒体质，促进体内各机能运作正常，减少尿床。但要注意糯米不易消化，给孩子适量即可。

便秘调理食谱

◆ 便秘的成因及表现

人只要吃东西，就会有大便生成；只有大便顺利排出，身体才会健康。食物经过胃的消化，在小肠及大肠的前段，可吸收的营养及水分被吸收完全，之后在大肠里形成粪便。倘若一周的排便次数少于3次；大便后肚子里还有胀胀的感觉，觉得没有清干净；排便时有疼痛、不顺的感觉，都容易形成便秘。长期便秘会引起腹痛、腹胀、口臭、放屁恶臭等问题。

便秘产生的原因很多，如纤维素摄取不足、水分摄取不足、生活作息不正常、憋着不上大号等原因。有些是疾病导致的便秘，像肠道结构异常、内分泌异常、药物的副作用等等，此种情况会衍生长期便秘，甚至因为肠道内的太多废物，形成自发性的中毒及致病毒素，严重时危及小朋友的生命。

※家庭护理课堂

便秘同时伴随以下情况时应立即就医

⊙ 改变饮食或运动后，便秘情况仍持续7天以上。

⊙ 腹痛或大便带血，或是大便形状突然改变。

⊙ 排便形态改变，例如突然便秘或是排便次数减少（两三天没有一次）。

◆ 便秘时的饮食要点

⊙ 多喝水为首要解决之道。水能帮助膳食纤维，也
能软便润肠，是最好的利便帮手。倘若只补充纤
维素却不喝水，会造成更严重的便秘。

⊙ 多吃高纤维的食物，如燕麦粥、糙米饭、四季
豆、豌豆、芹菜、竹笋、海藻类等。

⊙ 含乳酸菌的酸奶、优酪乳，能改善肠道环境，增
加肠道的有益菌，对便秘的改善大有帮助。

⊙ 苹果、草莓、柑橘类、黑枣等水果含丰富的果胶
和水溶性膳食纤维，对便秘的改善有很大帮助。
家长可选择宝贝喜欢的水果做成点心，或是鼓励
宝贝多吃水果。

⊙ 少吃高脂高蛋白的食物，摄取太多易造成便秘，如肉类、奶油。

⊙ 辛辣、油腻食物少吃。

糙米、燕麦、豆类、地瓜、马铃薯、芹菜、
竹笋、菠菜、海藻类、银耳、蜂蜜、草莓、橘
子、菠萝、奇异果、苹果、黑枣、水、酸奶、优
酪乳。

牛肉、猪肉、辛辣及油腻食物。

1 芝麻菠菜 (1人份)

食材 菠菜100克，熟白芝麻1/4小匙。

调味料 盐1小匙。

做法 菠菜洗净，放入加盐的滚水中烫软，捞出，挤干水分，切成小段，排入盘中，撒上白芝麻即可食用。

元气复原贴士

芝麻富含油脂，具有润肠通便的效果，且白芝麻含油脂量比黑芝麻多，但须炒熟的芝麻才有效，因为加热后的芝麻爆开，有效成分会从中释放出来。菠菜热量低，且含丰富叶酸，能促进铁质的吸收，大量的膳食纤维更是便秘的最好解药。

2 烤香蕉 (1人份)

食材 香蕉1根，杏仁片少许，巧克力酱1小匙。

做法

1 烤箱以180℃预热10分钟，放入杏仁片烤约4分钟至焦黄。

2 香蕉连皮排入铺有铝箔纸的烤盘内，放入烤箱烤约10~15分钟，至表面变黑，汤汁微冒出即可。

3 香蕉用利刀划开外皮，撒些杏仁片，挤上巧克力酱即可。

元气复原贴士

香蕉含有果胶，是润滑肠道的有效食物之一，能促进肠道蠕动、增加肠道内水分含量，帮助孩子上大号之外，还能保护胃部、中和胃酸，而且口感柔软，非常适合小朋友食用。

3 奇异果凤梨汁 （1人份）

食材 奇异果1颗，菠萝150克，冷开水120毫升。

做法 奇异果去皮切块，菠萝切块；全部材料放入果汁机中打匀即可。

元气复原贴士

有实验指出，每天2颗奇异果，食用一星期下来，能帮助约半数有便秘困扰的人改善问题。再者，奇异果和菠萝中的寡糖、膳食纤维和水果酵素三大成分，对促进肠道蠕动都非常有帮助。

4 姜汁地瓜汤 （1人份）

食材 地瓜1小条（200克），姜1块。

调味料 红糖2大匙。

做法

1 地瓜去皮洗净，切小块；姜洗净拍碎。

2 小锅中加水600毫升煮滚，放入姜、地瓜，以中小火煮约8分钟至软，加入红糖煮溶即可。

元气复原贴士

地瓜是高纤维食物，不但可以作为主食供给热量也有助于排便，但吃地瓜同时也要补充水分，才能有效促进肠道蠕动，因此煮成地瓜汤正是两全齐美的方法。

中暑调理食谱

◆ 中暑的成因及表现

中暑属于"热伤害"，是热伤害中最严重的一种。人体正常温度是37℃，当体温超过37℃，身体就开始不断排汗散热，但外界环境的温度必须低于体温，才能散热成功。人中暑时体温高于40℃，体温愈高，则散热就愈多，导致体内水分和盐大量流失，继而出现昏迷、抽搐、意识不清的现象。体温过高时（超过41℃），可能导致脑部中枢神经及其他器官机能衰竭，造成重度昏迷及死亡。

幼儿的中枢系统尚未完全成熟，加上身体体积小，体内储存的水分有限，因此环境的温度对幼儿体温影响大，愈湿热的环境下散热愈不易。而冬季时家长为避免宝贝受寒，会经常多添加衣物，宝贝在穿了太多衣服的情况下活动，无法散热，也可能发生中暑的情况。

中暑分为不同的等级：初级症状是精神疲累、四肢无力；中级症状是水分及电解质大量流失，出现痉挛现象；高级症状是开始发烧；最严重的情况是流不出汗来，高烧不退。

※家庭护理课堂

中暑的紧急处理方法

⊙ 若小朋友有中暑的迹象，要用湿毛巾沾水擦拭宝贝身体，并把宝贝移到阴凉处，给予少量饮用水。

⊙ 可以用刮痧解决问题，但只对轻度中暑有效。若中暑情况严重，建议及时就医治疗，以免延误病情。

◆ 中暑时的饮食要点

⊙ 除补充水分外，更要记得补充电解质，否则身体仍无法恢复。若买不到市售的电解质补充液，可暂由盐水替代。电解质主要为钾、钠离子，可以多吃草莓、菠菜、马铃薯、芹菜来补充。

⊙ 维生素C容易因汗水而大量流失，中暑患者要多补充维生素C，维持体内运转。还可以多吃奇异果、樱桃、苹果、青花菜。

⊙ 饮食以清淡为主，补充奶类、蛋类、豆类、鱼类、肉类等营养。

⊙ 忌吃生冷的水果，如西瓜、香瓜、杨桃、橘子。中医认为中暑后人的脾胃虚弱，吃寒凉食物会造成腹痛。

⊙ 忌吃寒凉的蔬菜，如竹笋、苦瓜、丝瓜、冬瓜等。冬瓜汤可预防暑热，但已中暑患者恰恰不能食用。

⊙ 中暑后肠胃较弱，应避免食用油炸、油腻、辛辣的食物。

薏仁、青花菜、菠菜、马铃薯、芹菜、绿豆、草莓、奇异果、樱桃、苹果、水、盐水。

煎炸食物、生冷食物、辛辣食物、油腻食物、竹笋、苦瓜、黄瓜、丝瓜、冬瓜、西瓜、香瓜、番茄、甘蔗、香蕉、杨桃、柚、柑橘、橙子、梨、枇杷。

1 斑斓绿豆汤（1人份）

食材 绿豆1杯，新鲜斑斓叶1片。

调味料 砂糖2块。

做法

1 绿豆及斑斓叶洗净。

2 小锅中加水4杯煮滚，放入绿豆煮15分钟，熄火焖凉至绿豆变软。

3 再移上瓦斯炉煮开，加入斑斓叶略煮，再加入砂糖煮至溶化即可，小朋友吃时只要盛1碗即可。

元气复原贴士

夏天来碗绿豆汤，不但生津止渴，还能消暑退火，加上带有淡淡清香味的斑斓叶共煮，味道就更叫小朋友喜欢了。

2 洛神花茶（1人份）

食材 洛神花8朵，冰糖1/2杯。

做法

1 洛神花略冲洗，放入小锅中，加水600毫升
  煮滚，转中小火熬煮10分钟，加入冰糖煮
  溶。

2 过滤渣滓，放凉后饮用。

元气复原贴士

> 洛神花茶色泽如红宝石，滋味酸
> 甜，其含有丰富的维生素C、苹果酸、
> 多酚、类黄酮素等，中医认为其有清暑
> 热、解渴的功用。可再加入乌梅、山楂
> 及甘草片一起熬煮，即是酸梅汤。

3 丝瓜豆签羹（1人份）

食材 豆签1片，丝瓜100克，肉片50克，虾仁3只。

调味料 盐1/2小匙，太白粉1大匙。

做法

1 丝瓜去皮，切小片；虾仁挑除肠泥，洗净，背部划一刀纹；肉片以1/3大匙太白粉拌抓。

2 锅中加水500毫升煮滚，放入丝瓜以小火煮至软，再放入豆签煮2分钟，加入肉片、虾仁煮熟，加盐调味，最后以剩余太白粉调水（太白粉：水＝1：3）勾芡即可。

元气复原贴士

能预防中暑的丝瓜清凉退火，水分含量丰富，瓜肉柔软易于咀嚼，对小朋友来说是非常适合的食材，再配上由米豆磨粉制成的豆签，不但易于消化，也是消暑良品。

4 薏仁冬瓜排骨汤（6人份）

食材 薏仁1/2杯，冬瓜300克，小排骨300克。

调味料 盐适量。

做法

1 薏仁洗净；冬瓜去皮及籽，切大丁；小排骨放入滚水中汆烫，捞出洗净。

2 锅中加入水1500毫升煮滚，放入小排骨、薏仁及冬瓜，以小火熬煮约40分钟，加盐调味即可。

元气食疗贴士

此道食谱为夏日预防孩子中暑的最好选择。冬瓜有生津止渴，薏仁有利水消肿的效用，都是盛夏清凉补的最佳食材。

本书繁体字版由台湾邦联文化授权出版

非经书面同意，不得以任何形式复制、转载

北京市版权局著作权登记号　图字：01-2013-3012 号

图书在版编目（CIP）数据

宝贝，回家吃饭啦：3～6 岁幼儿园阶段家庭饮食规划书 / 林美慧著.
—北京：东方出版社，2013
ISBN 978-7-5060-6424-8

Ⅰ.①宝…　Ⅱ.①林…　Ⅲ.①儿童—保健—食谱
Ⅳ.① TS972.162

中国版本图书馆 CIP 数据核字（2013）第 118663 号

宝贝，回家吃饭啦：3～6 岁幼儿园阶段家庭饮食规划书

（BAOBEI，HUIJIA CHIFAN LA：3～6 SUI YOUERYUAN JIEDUAN JIATING YINSHI GUIHUA SHU）

林美慧　著

责任编辑：张　旭　杨朝霞　李典泰
出　　版：东方出版社
发　　行：人民东方出版传媒有限公司
地　　址：北京市东城区朝阳门内大街 192 号
邮政编码：100010
印　　刷：北京捷迅佳彩印刷有限公司
版　　次：2013 年 6 月第 1 版
印　　次：2013 年 6 月北京第 1 次印刷
开　　本：710 毫米 ×1000 毫米　1/16
印　　张：10.25
字　　数：142 千字
书　　号：ISBN 978-7-5060-6424-8
定　　价：39.80 元
发行电话：（010）65210059　65210060　65210062　65210063